KB123591

(지구 안에서)

사는 즐거움

송세아 지음

지구 안에서 사는 즐거움

coffee

보고, 듣고, 읽고, 만나는 사람들.

어쩌면 이 모든 것이 삶의 전부인지도 모르겠습니다.

이 책이 당신의 사는 즐거움에 보탬이 되길 바라며.

평범하지만
특별한 일상

하늘이 파랗다. 파란 하늘 아래로 이름 모를 길고양이가 단잠을 자고 있다. 세상만사 근심이라곤 전혀 없다는 듯 평온한 얼굴로. 가을을 알리는 선선한 바람이 귓가를 간지럽힌다. 보들한 바람결에 어지러운 마음을 슬쩍 누여본다. 떠날 채비를 마친 여름에게 인사를 건네기 위해 팥빙수 가게를 찾았다. 고슬고슬 눈꽃 빙수가 눈앞에 놓여있다. 후르츠 칵테일이 눈꽃 빙수와 어우러져 입안 가득 퍼진다. 행복이란 감정이 송골송골 마음에 맺힌다.

어느 평범한 오후의 일상을 글로 쓰고 소리 내어 읽어 보았다. 이 글은 오랜 시간이 흐른 뒤에도 아프지 않을 글이다. 모습 그대로 반짝이는 글이니까. 경험상 특별함을 담은 이야기는 시간이 지날수록 아프게 다가오곤 했다. 유난스러웠던 사랑 이야기, 미어질 듯 아팠던 관계에 관한 이야기, 지나치리만큼 행복했던 순간에 관한 이야기. 잊지 못할 특별한 순간을 담은 글은 언제고 나를 아프게 찾아왔다. 불현듯 아프지 않은 글을 쓰고 싶어졌다. 평범한 일상에 관한 글. 스치듯 지나치는 평범한 하루에 관한 글.

평범이라는 단어 안에 얼마나 많은 특별함이 숨어있는지 깨닫는 연습을 하기로 했다. 그래야 내 삶이 조금이나마 행복에 더 가까워질 수 있을 테니. 잊지 말아야지. 평범함 속에 특별함이 있다. 사람도, 삶도, 그리고 글도.

요즘 왜 이렇게
이상한 사람이 많지

"요즘 왜 이렇게 이상한 사람이 많지?" 언제부터인가 이상한 사람이 많다는 말을 참 자주 한다. 정말 이상한 사람을 많이 만났던 증권회사(과거 5년 정도 증권회사에 다녔었다)에 다닐 때에도 이 말을 이 정도로 많이 하진 않았던 것 같은데. 그새 '이상한 사람'을 감별하는 눈이라도 생긴 걸까. 아니면 나도 이제 진짜 어른이 되어버린 걸까. 세상을 바라보는 눈이 거칠어질 때면 마음에 자욱한 안개가 낀 듯 답답한 마음이 든다. 그러다 멈칫하게 되는 거다. 생각해보면 나뿐만 아니라 나와 마주하는 사람들 역시 "요즘 이상한 사람 참 많은 것 같아요."라고 하던데, 그렇다면 과연 진짜 이상한 사람은 어디에 있는 걸까 싶어서.

'이상한 사람이 많다.'라는 문장엔 '적어도 나는 그런 이상한 사람은 아니다.'라는 의미가 내포되어 있을 텐데, 그러면 진짜 이상한 사람은 누구인 걸까. 한번은 그런 적이 있었다. 누군가 나에게 찾아와 "왜 사람들은 자기 입장만 생각하죠? 왜 타인의 입장에서 생각을 안 해보는 거냐구요."라며 격분했는데, 언젠가 다시 보니 그 사람도 누군가의 입장을 고려하지 않은 채 이상한 말을 하고 있는 것이다. 그러니까 '저 사람은 저게 문제야.'라고 손가락질하는 그 사람 역시 같은 흠을 달고 다닌다는 사실을, 웃프게도 그 사실을 본인만 모르는 이상한 광경을 종종 마주했다. 물론 나도 예외는 아니다. 누군가를 어떠한 이유로 깎아내리면서 나도 엇비슷한 행위를 한 적이 있으니까.

그래서 내려놓기로 했다. 이 세상 사람들은 모두 조금씩은 이상하다는 사실을 인정하기로 했다. 같은 말로 나도 누군가에겐 이상한 사람으로 비칠 수 있는 거고. 아니, 비쳤을 거고. 이 세상에 완벽한 사람은 없듯 나 또한 좋은 사람이기도, 때론 그렇지 않은 사람이기도 하다는 사실을 인정하기로 했다. 다만, 최소한 내가 사랑하는 사람들에게만큼은 좋은 사람이 되도록 노력하기로.

타인의 흠을 잡을 때면 잠시 나를 되돌아보곤 한다. 혹시 그 흠이 내게도 묻어있는 건 아닌지 확인해야 하니까. 부끄럽게도 경험상 그럴 확률이 꽤 높았다.

가끔은 이기적이어도 된다

같은 책을 다섯 권째 사고 있다. 조만간 또 살 예정이니 이제 여섯 권째라고 해야 하나. 보통 글을 쓰기 전에 머리를 말랑하게 만들기 위해 좋아하는 작가의 책을 읽는 편인데, 그런 책으로 이 책만 한 것이 없다.

처음 이 책을 접한 건 대학교 2학년 때였다. 같은 과 친구(남사친)가 학교 도서관에서 노란 책을 읽으며 히죽거리고 있었는데, 그 모습이 정말이지 너무나 거슬

렸다. 친구와 나는 당시에도 서로를 향한 거침없는 디스를 유쾌하게 받아주는 절친한 사이였기에(이성으로 단 한 번도 생각해본 적 없어 지금껏 절친한 친구 사이를 유지하고 있다) 조용한 독서실에서 낄낄거리며 책을 읽는 그를 보니 자꾸만 눈살이 찌푸려졌다. 도대체 어떤 책이길래 이렇게 민폐를 끼치나 싶어 슬쩍 제목을 훑어봤더니 굵은 글씨로 '보통의 존재'라 쓰여 있었다. 그렇다. 이 책은 바로 내 마음속 글쓰기 멘토이자, (나 홀로) 내적 친밀감 100%를 자랑하는 이석원 작가님의 『보통의 존재』라는 책이다. 이제는 몇 번째 재독인지 기억나지 않을 정도로 이 책을 자주 읽었다. 글이 안 써질 때도 읽고, 말 못 할 고민이 생길 때도 읽고, 여행 가서도 읽고, 사랑에 빠졌을 때도 읽고, 그냥 읽고 싶어서 또 읽고…. 생각해보니 올해로 이 책을 접한 지 12년 차니 비록 나 홀로이긴 하지만 내적 친밀감이 가득 쌓였을 만도 하다. 어쩜 이렇게 사랑스러운 글을 쓰시는지.

아무튼 조만간 서점에 들러 나는 또 이 책을 살 예정이다. 뭣 하러 같은 책을 계속 사느냐고 묻는다면 현재 나에게 이 책이 없기 때문이라 답해야 한다. 그동안 다섯 권이나 샀으면서 왜 책이 없느냐고 또 묻는다면 주위 사람들에게 이 책을 자주 권유했기 때문이라고 또 다시 답해야 한다. 이십 대 때 나는 남자친구들(?)에게 이 책을 종종 권유(혹은 강요 그사이 어디쯤인 듯하다)했었다. 연애할 때 가장 중요한 것은 취향을 공유하는 것이라 생각했기에 그에게 내가 좋아하는 책 또한 알려주고 싶었다. 물론 당시에 나는 엄연히 이 책을 '빌려' 준 것이었는데 야속하게도 이별의 순간 단 한 명에게도 돌려받지 못했다. 헤어진 남자친구에게 굳이 책을 돌려달라며 연락하는 건 누가 봐도 미련이 남은 자의 비겁한 변명이기에 나는 꾸역꾸역 새 책을 사야 했다. 그나마 위안이 되는 건 『보통의 존재』는 개정판이 나올 때마다 글이 삭제되기도 하고, 더해지기도 한다는 것이었다. 매번 새로운 문장을 만날 때면, 그래 이렇게 새 책을 사는 것도 나름의 의미가 있어! 라며 합리화를 했다. 물론 이 합리화마저 합리적이라는 생각이 들 정도로 개정판은 의미가 있다.

다행히 이제 결혼도 했으니 더 이상 사랑하는 사람에게 책을 돌려받지 못하는 일은 일어나지 않을 듯싶다. 그러니 여섯 번째 구매 만에 드디어 온전한 나의 『보통의 존재』가 생긴 셈이다. 그래도 방심은 금물이기에 앞으로는 가까운 지인에게조차도 이 책을 빌려주지 않을 생각이다.

정말 소중한 것은 누구에게도 빌려주는 게 아님을, 두 손에 꼭 쥐고 있어야 한다는 사실을 어렵게 깨달았으니 말이다. 그런 의미라면 나도 가끔은 이기적이어도 되지 않을까.

자고 일어났는데
코끝이 찡했다

자고 일어났는데 코끝이 찡했다. 마치 슬픈 영화를 보고 펑펑 울고 난 직후처럼 코끝이 찡하고 머리가 멍했다. 불안한 마음에 향수 뚜껑을 열어 킁킁 냄새를 맡아보았다. 아무런 냄새도 나지 않았다. 다른 향수를 집어 또 한 번 코에 가져가 보았다. 역시나 냄새가 나지 않았다. 당연하게 여기던 일이 좀처럼 당연해지지 않을 때 우린 그동안 경험해보지 못한 새로운 형태의 공포감을 느끼게 된다.

나는 아닐 거라고, 나와는 먼일일 거라고 생각했는데. 그 일은 누구에게나 일어날 수 있는 일이었다. 코로나 양성 판정을 받은 것이다. 처음 확진 문자를 받고는 눈앞이 캄캄해졌다. PCR검사를 받기 전 이미 냄새와 맛을 못 느껴 어느 정도 예상은 했지만 실제로 눈앞에 닥치니 와르르 마음이 무너졌다. 내 의지와 상관없이 눈물이 주르륵 흘렀다. 주위 사람들에게 이 일을 알려야 하긴 하겠는데 선뜻 목소리가 나오지 않았다. 엄마의 얼굴을 떠올리니 더욱 와르르 마음이 무너져 내렸다. 그날 밤은 엉망이 된 마음을 겨우 정리하며 잠을 청했다.

아침이 밝았다. 별다른 것 없는 아침이었다. 내가 코로나 확진자라는 사실과 앞으로 열흘간 이 방안에 홀로 갇혀 지내야 한다는 것만 빼고. 다행히 펄펄 끓던 열은 어느 정도 가라앉았고 다른 증상도 심하지 않아 재택 치료를 결정했다(22년 1월, 내가 걸렸을 때만 해도 생활치료센터와 재택 치료 둘 중 하나를 선택할 수 있었다). 침대에 멍하니 멀뚱멀뚱 눈만 깜빡이며 누워있는데 치과에서 문자가 왔다. 그러고 보니 내일은 치과에 가는 날이었다.

- 안녕하세요. 내일 진료받기로 한 사람인데요. 다름 아니라 제가 코로나 양성 판정을 받아 내일 방문이 어려울 것 같습니다.

이상하리만큼 덤덤하게 통화를 마쳤다. 자는 동안 무너져 내렸던 내 멘탈을 누가 다시 반듯하게 세워두기라도 한 걸까. 그러나 몇 분 뒤 중요한 사실을 깨달았다. 바로 내 멘탈이 모랫바닥 위에 세워져 있다는 사실. 곧이어 걸려 온 엄마의 전화를 받으며 또다시 주룩주룩 눈물을 흘려댔으니 말이다.

- 향이야, 여기 봐. 언니 코로나 걸렸대. 어쩌냐 으응?

엄마와 영상통화를 했는데 화면 속 엄마는 생각 이상

으로 태연했다(역시나 우리 엄마는 무언가에 쉽게 흔들리는 사람이 아니다). 그러나 나는 그런 엄마의 모습을 보며 애써 눈물을 훔쳤다. 주위에서 젊은 사람들은 며칠만 앓으면 금방 이겨낸다는 이야기를 아무리 해줘도 그 일이 내 일이 되니 어쩐지 자꾸만 마음이 약해졌다. 확실히 코로나에 걸리면 몸과 더불어 마음 관리를 잘해야 한다. 가까운 친구들에게 이 사실을 알려야 한다고 생각하면서도 선뜻 행동으로 옮기지 못했다. 겪어보니 안 좋은 일을 주위에 알리기 위해서도 용기란 게 필요했다. 좋은 일도 아닌데 굳이 이걸 알려야 하나 싶기도 했고 아주 바보 같지만 진정으로 나를 걱정해주는 사람이 얼마나 될까 하는 생각이 들기도 했다. 혹 무관심한 반응이 돌아왔을 때의 상실감도 내가 견뎌내야 했는데, 그걸 그럴 수 있다고 이해하기엔 아직 내 마음에 여유가 없었다. 분명한 건 이 모든 것은 내 주위 사람들의 문제가 아니라는 것이었다. 건강한 사고를 할 수 없을 만큼 내 머릿속이 어지럽혀져 있다는 것이었다. 좋은 일을 마음껏 축하해주는 것, 힘든 일에 진심을 담아 위로해주는 것. 내 주위 사람들이 마음을 다해 이를 해내 줄 거란 믿음이 내 안에서 희미해져 갔다.

혼자 독방에 덩그러니 있다 보니 자주 생각의 늪에 빠졌다. 가끔은 내 곁을 떠난 이들의 얼굴이 스치기도 했다. 그들도 지금 내가 느끼는 관계에 대한 회의감 때문에 나에게 등을 돌린 것만 같아 미안한 마음이 들었다. 조금 더 자주 안부를 물을걸, 조금 더 챙겨줄걸. 인간관계는 정말이지 답이 없다. 내가 그렇게 느끼면 그게 정답인 거다. 상대가 그렇게 느꼈다면 그것 역시 정답인 거고. 끝과 끝은 언제나 맞닿아 있듯 모든 게 정답일 수 있어서 답이 없다고 하는지도 모르겠다.

오늘은 확진 판정을 받은 지 4일째 되는 날이다. 언제까지 방안에 갇혀 지내야 하느냐며 침대 위에서 버둥대는 것도 시간이 지나니 익숙해졌다. 나름 일과에 루틴이 생겼는데, 나의 아침 루틴은 이러하다. 아침에 일어나면 창문을 열어 방을 환기시킨다. 그리고 청소기를 민다. 간단하게 이불 정리를 하고 있으면 남편(앞으로는 남편을 'T'라고 적겠다. MBTI의 'F와 T'의 그 'T' 맞다)이 손수 차려준 아침상이 문 앞에 배달 와 있다. 조심스럽게 문을 열어 아침을 먹고 체온을 잰다. 산소포화도 측정과 심장 박동수 측정도 잊지 않는다(재택 치료를 하면 매일 하루에 두 번 건강상태를 체크해 생활치료센터 어플에 입력해야 했다. 그렇다. 나는 남들보다 조금 일찍 코로나에 걸렸었다). 이렇게 나름 주요 업무를 마치고 나면 자유시간이 찾아온다. 퇴사(2020년 퇴사) 후 몇 년간 쉬지 않고 일에 매달렸던 터라 이참에 푹 쉬는 시간을 가져야겠다고 생각했다. 심심해서 낮잠을 자는 일이 대체 얼마 만인지. 쉬는 동안 넷플릭스와 유튜브, 책, 그리고 낮잠을 생활 가까이에 두었다. 놀랍게도 아무것도 안 해도 하루는 갔고, 또 어느새 새로운 하루가 찾아왔다. 그간 강박적으로 나의 일과를 알리기 위해 SNS를 하곤 했는데 강제로 끊어보니 이건 정말 별 게 아니었다. 내가 없어도 SNS 속 세상은 평온하게 잘만 돌아갔으니. 내가 손을 놓으면 언제든 끊어지고 마는 세상이었는데 이게 뭐가 좋다고 그렇게 집착하며 살아왔는지.

왜 이렇게 쉽게 끊어질 관계에 목을 매며 안달복달했었나 싶은 마음이 들었다. 물론 다시 일상으로 돌아가면 언제 그랬느냐는 듯 많은 시간을 SNS 속 세상에 할애하며 살겠지만 말이다. 어쨌든 오늘도 별별 생각을 다 하다 해가 저물었다.

답답한 마음에 창문을 반쯤 열어 보았다. 고개를 빼꼼히 내밀고 있는 힘껏 바깥 공기를 들이마셨는데, 신기하게도 공기에서 맛이 났다. 그동안 당연하게 마셨던 공기의 맛을 이렇게 방안에서 꼼짝 안 한 채 창문 틈으로 겨우 맡다 보니 이 냄새, 이 맛마저도 소중하게 느껴졌다. 더군다나 맛과 향을 미미하게 느끼다 보니 바깥 공기 냄새가 더욱 특별하게 느껴졌다. 아이러니하게도 방 안에 갇혀 지내며 나는 또 사소한 모든 것(심지어 공기마저도)에 소중함을 느끼고 있었다. 일상의 소중함에 대한 책을 만들던 중 이렇게 몸소 체험할 기회가 생기다니, 오! 신이시여. 제게 이런 뜻깊은 기회를 주시다니요!

그러고 보면 나는 언제나 최악의 상황을 최악이라 여기지 않았다. 그건 고등학교 1학년 때 베르나르 베르베르의 『천사들의 제국』이란 소설을 읽은 탓이었다. 책을 읽은 뒤로 나는 말도 안 되는 상상을 자주 했다. 소설에 나오는 착한 천사가 내 주위에도 있다고 확신했고 내 주위, 더 정확하게는 나의 관자놀이쯤을 매일같이 맴돌며 나를 지켜주고 있다고 믿었다. 이 이야길 좀 더 직관적으로 하자면 이런 거다. 코로나로 열이 오를 때면 나는 엄마 집에서 살고 있는 나의 반려견 향이를 떠올렸다. 향이가 주술을 쓰며 코로나와 싸워주고 있다고 생각했다. 펄펄 열이 끓을 때마다 늦은 밤 엄마 몰래 일어나 주술을 쓰고 있는 향이를 상상했고, 그러고 나면 어느새 열이 말끔히 내려 있었다(말도 안 되는 이야기지만 실제 상황이다. 참고로 나의 MBTI는 ENFP다).
그러면 나는 향이에게 멀리서나마 고마움을 전하는 거다. 향이야 고마워! 잘했어! 하면서.

어쩌면 운이 나쁜 사람이 되는 것, 혹은 운이 좋은 사람이 되는 것. 이 모든 건 내 마음이 나에게 하사하는 일인지도 모른다.

여전히 나는 최악의 상황을 마주할 때면 마음 속에 작은 천사를 띄운다. 그리고 주문을 외운다. 나를 지켜주는 천사가 머지않아 나를 이 상황에서 구해줄 거라고. 그러니 이 상황은 절대 최악이 아닐 거라고.

오늘은 재택 치료 5일 차.
집 근처 빵집에서 빵 고르던 일상이 얼마나 소중했는지를 떠올리며 잠이 들 준비를 마쳤다.

두 번째 코로나 확진 판정을 받았다

그로부터 1년 뒤 두 번째 코로나 확진 판정을 받았다. 뭐든지 처음이 어렵다고 하던가. 두 번째 확진은 첫 번째만큼 놀랍지도, 왈칵 눈물이 나지도 않았다. "코로나 맞네요?"라며 덤덤하게 확진 사실을 알리는 의사 선생님만큼이나 나 역시 덤덤하게 "네, 그렇군요."라고 대답할 뿐이었다. 문제는 몸에서 나타나는 반응이었는데 확실히 두 번째는 더 아팠고 그 기운이 오래갔다. 몸 마디마디를 콕콕 찌르는 듯한 통증이 느껴졌고 코는 겨자소스를 한 사발 마신 듯 매웠다. 목은 깊게 잠겨 세 마디 이상을 이어 말할 수 없게 되었으니 그 덕에 뜻하지 않는 묵언수행을 감행해야 했다. 축축 늘어지는 일상이 계속되니 '사는 게 뭐 있나, 건강하게 잘 먹고, 잘 싸고 그러면 그만이지.'라는 생각이 머릿속에 가득했다. 그동안 얼마나 부귀영화를 누리겠다고 작은 일에 발을 동동 굴리며 지내왔나 싶어, 지난날 내 모습에 쯧쯧 혀를 차기도 했다. 완치되면 만나고 싶었던 친구들도 더 자주 만나고 작은 행복에 감사하며 살겠노라 몇 번이고 다짐했다.

그렇게 눈을 감고 이런저런 생각에 잠기다 피식 웃음이 나고 말았다. 일상 속 소소한 즐거움에 감사하며 건강하게만 살자란 생각이 미처 끝나기도 전에 두 번째 코로나 확진으로 새로운 글감을 얻었다며 회심의 미소를 짓고 말았기 때문이다. 이미 머릿속에 흰 화면을 펼쳐두고 한, 두 문장을 쓰기 시작하던 찰나, 나도 내가 대체 뭘 바라며 살고 있는 건지 알 수 없어 헛웃음이 나왔다.

우린 자주 당연한 것들을 잊고 산다는 것.

내가 사는 즐거움이란 주제를 놓지 못하는 이유는

아마도 이 때문일 것이다.

삼삼하다

어쩌다 '삼삼하다'라는 단어를 검색했는데 생각보다 여러 의미가 있어서 놀랐다. 삼삼하다라는 단어의 의미는 다음과 같다. 1) 음식 맛이 조금 싱거운 듯하면서 맛이 있다. 2) 사물이나 사람의 생김새나 됨됨이가 마음이 끌리게 그럴듯하다. 3) 잊히지 않고 눈앞에 보이는 듯 또렷하다. 4) 나무가 빽빽이 우거져 무성하다.

그동안 내가 알던 단어가 맞나 싶을 정도로 이 단어, 알고 보니 많은 의미를 품고 있었다. 한 단어 안에 참 많은 의미가 담겨 있다는 생각이 들던 찰나, 마음에 시원한 물줄기가 흐르는 듯했다.

그러니까 나는 몇 달 동안 도무지 제대로 된 글을 쓰지 못해 마음이 쭈글쭈글해진 상태였다. 무언가를 써야만 한다는 압박감 때문이었을까. 하고 싶은 말이, 쓰고 싶은 이야기가 무엇인지 모른 채 정리되지 않은 날들이 반복됐다. 그러다 보니 자꾸만 그동안 해왔던 일들을 후회하는 거다. 나는 왜 표지를 내 얼굴로 해서(어디서 난 용기인지는 모르겠지만 초판 표지에 내 얼굴을 크게 실었었다. 한번은 우연히 서점에 갔는데 누군가 내 표지를 콕 집으며 "누가 보면 연예인인 줄."이라며 피식하는 걸 본 적이 있다. 네…… 놀랍게도 그게 바로 저예요……) 사람들에게 내 책을 자신 있게 내밀지 못하는가. 당시 어떤 생각으로 이런 선택을 했던 걸까. 어디서부터 다시 시작해야 하는 걸까. 바사삭, 바사삭 멘탈이 부서지는 소리를 들을 무렵, 나는 이 단어를 만났다.

글을 쓰는 작가로서의 일과 타인의 글을 다듬는 편집자로서의 일을 동시에 하다 보면 종종 자존감이라는 글자와 정면으로 마주하게 된다. 내 글을 한 글자도 못 쓸 때면 내가 누군가의 글을 볼 자격이 있는 건가 싶은 마음이 들곤 하니까. 더군다나 출판사 편집장이라는 다소 무게감이 느껴지는 직함 앞에서 자꾸만 작아지는 나를 발견하곤 했다. 작가 미팅을 할 때면 과연 이 옷차림이 출판사 편집장으로서 어울리는가를 고민하며 이 옷, 저 옷 입었다 벗기를 반복하기도 했고, 유행하는 헤어스타일을 하고선 사람이 너무 가벼워 보이는 건 아닐까 하는 마음에 후회한 적도 있었다(물론 내가 이 일을 하며 느낀 바에 의하면 편집자는 누구보다 트렌드에 민감해야 한다. 또, 엄격하고 진지한 느낌보단 작가들이 스스럼없이 다가올 수 있는 편안한 느낌이면 더 좋다).

그렇게 내 자존감이 뜨거운 아스팔트 바닥 위를 스멀

스멀 기어가고 있을 때쯤 '삼삼하다'라는 단어를 만난 것이다. 그리곤 또 한 번 생각을 고쳐먹었다. 어쩌면 모든 일이 다 그렇지 않을까 싶어서. 갖가지 의미를 품은 '삼삼하다'라는 단어처럼 무언가에 어떤 의미를 부여하느냐에 따라 보고 느끼는 관점이 달라질 수 있으므로. 그러니까 누군가는 내 얼굴이 대문짝만하게 실린 표지를 보고 '와, 이 사람 참 용기 있네. 대단하다.' 라고 생각할지도 모를 일이다. 유행하는 헤어스타일에 도전하는 나를 보며 '그래, 출판사 편집장이 늘 투피스 정장에 단정한 머리를 하고 있을 필요는 없지.'라고 생각할 수도 있고.

그러니 중요한 건 마음인 것이다.
내 마음에, 내 관점에 확신을 가져야 한다는 것.

생각을 여기까지 정리하곤 마음에 작은 방 하나를 지어봤다. 딱 나만 들어갈 수 있을 정도로 아늑하고 작은 방. 비가 와도, 눈이 와도, 거센 바람이 불어도 절대 흔들리지 않는 단단한 방.

그리곤 괜한 후회의 감정이 밀려올 때
내가 봐도 내가 한심하단 생각이 들 때
이 말을 삼켜보는 거다.

괜찮다.
아무렴 괜찮다.
다 괜찮다.

오도독, 오도독 삼삼하게 이 말을 삼키다 보니 마음에 쌓여있던 후회와 원망의 감정들이 어쩐지 싱겁게만 느껴진다.

영원하지 않다는 것

거울을 볼 때면 유난히 배에 힘이 들어간다. 운동을 안 하니 한해, 한해 늘어나는 건 나이, 주름 그리고 뱃살이다. 시간이 흐른다는 건 좋아하지 않는 것들이 늘어나는 것과도 같다는 생각에 어쩐지 우울한 마음이 들었다. 그러니 해가 지날수록 거울 앞에 설 때면 긴장이 되곤 했다. 오늘 아침 배에 힘을 잔뜩 주고 서 있는 내 모습을 가만히 지켜보다 또 한 번 자기 객관화란 단어를 머릿속에 띄웠다. 요즘 내 글이 객관적으로 읽을 만한가란 생각을 자주 하는데 정확한 판단을 위해선 자기 객관화란 게 필요했다. 나는 나를 참 많이 사랑하는 사람이어서, 내가 하는 모든 행위를 정당화하고 좋아하는 편인데 글을 쓸 때만큼은 이러한 나의 성향을 경계하곤 한다. 좀 더 직설적으로 표현하면 내가 쓰는 글이 누군가에게 느끼하게 다가갈 것만 같아 두려움에 떨며 글을 쓰고 있다. 나는 나를 객관적으로 얼마나 알고 있을까. 객관적으로 봤을 때 내 글은 어떨까.

글을 잘 쓰고 싶어질수록 아이러니하게도 나는 내가 아닌 타인의 시선에 집착했다. 그러다 거울 속 긴장한 모습이 역력한 오늘의 내 모습을 마주한 거다. 타이트한 목 티 안으로 볼록 나온 배를 감추려 바짝 힘을 주고 서 있는 내 모습을. 이 모습은 다름 아닌 회피였다. 있는 그대로를 인정하지 않는 것. 내가 24시간 이렇게 배에 힘을 주고 있진 않을 텐데. 인지하지 못한 어느 순간엔 긴장이 풀어져 볼록 나온 배를 사람들에게 보여주고 있을지도 모를 일인데, 이렇게 회피하는 게 무슨 소용일까 싶었다. 어쩐지 스스로에게조차 잘 보이기 위해 배에 힘을 주고 서 있는 내 모습이 안쓰럽게 느껴졌다. 잠시 온몸에 긴장을 풀고 거울을 바라봤다. 긴장을 푸니 감춰져 있던 아랫배가 볼록 솟아올랐다. 역시나 보기 싫은 모습이었다.

시간이 흐를수록 늘어나는 좋지 않은 현상은 이뿐만이 아니다. 그중 하나는 바로 변덕스러운 마음이다. 며칠 전까지만 해도 살굿빛이 도는 주황색과 사랑에 빠져 휴대폰 케이스며, 마우스며, 티셔츠며, 새로 살 수 있는 것은 모두 주황색으로 샀다. 그런데 갑자기 이 모든 게 너무나도 촌스럽게 느껴지는 거다. 그렇다고 죄다 다시 살 순 없어 그냥 쓰고 있지만 싫증이 난 이 마음은 도무지 잠잠해질 기미를 보이지 않는다. 왜 갑자기 싫어진 건지 그 이유도 잘 모르겠다.

친구와 오랜만에 잡은 약속 앞에서도 변덕은 기승을

부린다. 처음 약속을 잡을 때까지만 해도 오랜만에 약속이란 게 생겨 너무나도 들뜨는데 며칠이 지나면 금세 시들고 만다. 날도 춥고 일도 많은데 그냥 나가지 말까란 생각이 어디서부터인가 마음을 비집고 새어 나온다. 다행스러운 건 짜증이 나는 일이나, 슬픈 일 앞에서도 변덕이 빼꼼히 얼굴을 내민다는 것이다. 도대체 그(그녀)는 왜 이런 생각을 하는지 모르겠다며 머릿속에 탑재되어있던 스팀 버튼을 팍팍 누르며 열을 올리다가도 맛있는 빵을 한 조각을 베어 물면 언제 그랬냐는 듯 감정이 사그라든다. 이런 변덕스러운 성격을 좋아해야 하는 건지, 아니면 걱정해야 하는 건지 이것도 잘 모르겠다.

아이러니하게도 어릴 적 나의 좌우명은 '한결같은 사람이 되자.'였는데. 누군가를 사랑할 때면 영원히 사랑하겠다고, 평생 옆에 있겠다고 다짐하곤 했었는데. 언제부터 나에게 영원이란 단어가 이렇게 무색해진 걸까.

철저한 자기 객관화로 누가 봐도 좋은 글을 써야 해.

— 애초에 그런 글은 없어. 내가 좋아하고 잘하는 걸 해야지.

한결같은 사람이 되어야 해. 그게 좋은 사람이야.

— 내 마음인데, 좀 아무렇게나 두면 안 돼?

왜 내 마음조차 정제하며 팍팍하게 살아야 하느냐고.

하루에도 몇 번씩 정리되지 않는 생각이 앞다투며 마음을 어지럽힌다. 영원하든, 영원하지 않든. 남이 좋아하든, 좋아하지 않든. 그래서 내가 만족을 하든, 안 하든. 어쨌든 아주 가끔은 기쁨, 슬픔, 미움, 서운함, 짜증스러움…….

살면서 불쑥 드는 이 모든 감정이 영원하지 않아서, 그게 참 위로가 된다.

'을'이어도 괜찮은 이유

만물에 미련이 많은 타입인 나는 자주 인간관계에서 '을'의 위치에 있곤 한다. 심지어 충분히 갑의 상황을 누려도 될 상황에도(물론 완벽히 그런 상황은 있을 리 없지만) '을'의 입장을 자처하는데, 이런 광경을 지켜보던 가까운 친구는 이젠 제발 찌질이짓 좀 그만하라며 나를 말리곤 한다.

아홉 살 때 일이다. 이성 친구로부터 처음 편지를 받았다. 나와 특별한 친구 사이가 되고 싶다는 ―아홉 살

나이를 고려하면 여기서 '특별한 친구'란 '애인'이라기보단 '베스트 프렌드'에 가까울 것이다. 무려 1999년의 기준에선 말이다—.아주 순수한 내용의 편지였는데 편지 끝엔 네모 칸 하나가 있었다. 내용인즉, 그의 제안을 받아들인다면 이 네모 안에 동그라미를 그렇지 않다면 엑스를 표시해 편지를 돌려달라는 것이었다.

결론부터 말하자면 편지는 그 친구에게 돌아가지 않았다. 서른이 넘은 내가 아직도 그 편지를 고스란히 간직하고 있으니 말이다. 재밌는 건 네모 칸 안에 적힌 나의 마음인데 네모 안엔 까만 연필로 정확하게 엑스 표시가 그어져 있었다. 그러니까 나는 그 친구와 특별한 사이로 지내는 건 싫지만 꾹꾹 눌러 써 종이 뒤가 까슬까슬해진 그의 편지는 간직하고 싶었던 것이다. 왜 그런 마음이 들었는지는 나도 모른다. 어렴풋하게 기억나는 건 이제 그만 편지를 돌려달라며 중얼거리던 그 친구의 얼굴과 그런 그를 애써 피해 다니던 내 모습이다. 너와 가까운 친구가 되고 싶지 않다고. 사랑이니, 우정이니 아직 그런 건 잘 모르겠고 그냥 너랑 그렇고 그런 사이가 되긴 싫다고 당당하게 표현하면 될 것을. 이리저리 눈치를 보면서도 나는 끝내 그 편지를 돌려주지 않았다. 한 번쯤 과거로 돌아갈 수 있다면 물어보고 싶다. 왜 그때 나는 그런 불편함을 감수하면서까지 편지를 사수하려 했던 건지. 혹시 그 친구에게 거절의 답을 내놓기가 미안했던 건 아니었는지. 지금도 그 마음을 정확히 알 수 없지만 이것만큼은 확실하다. 혹여나 그 친구를 정면에서 마주하게 될까 봐 쿵쾅거리는 마음을 부여잡으며 도망치기 일쑤였던 나는 태생적으로 '을'의 입장을 자처하는 사람이라는 것.

성인이 된 지금도 달라진 건 없다. 나를 아프게 하는 누군가를 밀어내거나 미워하기가 쉽지 않다. '그럴 수 있어.'란 말로 막연하게나마 상대를 이해하려고 할 뿐. 누군가는 이런 나를 보며 마음이 넓다고 생각하겠지만 나는 결코 마음이 넓거나 이해심이 많은 사람이 아니다(나를 아는 지인이라면 이쯤에서 모두 고개를 끄덕일 것이다). 이러한 '을'의 입장은 비단 특정 사람과의 관계, 혹은 가까운 사이의 관계에만 국한된 게 아니다. 나와 인연을 맺은 많은 사람에게 나는 자주 아쉬운 입장을 취하곤 하니까.

보통 인간관계에서 '을'의 입장으로 지내면 상처를 많이 받을 것 같지만 좋은 점도 있다. 적어도 나는 관계에 있어 후회하는 일이 적으니까. 울고불고 매달려 보고 갈 데까지 가본 연애의 끝은 늘 후련했고, 최선을 다한 관계에서 등을 돌리는 일은 누구보다도 쉬웠다.

한 가지 더, 관계에서 을로 지내다 보면 누군가 내게 건네는 정성 어린 배려와 마음 씀씀이가 당연하게 느껴지지 않아서 좋다. 사소한 배려가 고맙게 느껴진달까. 누군가에게 고마운 감정을 느낄 때면 그 사람에게 내가 참 소중한 사람이구나 하는 생각에 행복해진다. 그래서 나는 종종 '고맙다.'라는 말 안에 '나를 소중한 사람으로 여겨줘서.'라는 문장을 숨겨둔다.

비록 쉽지 않은 인간관계에 자주 마음에 멍이 들지만 그럼에도 누군가를 쉽게 미워하지 않는, 누군가 내게 건네는 마음 씀씀이에 고마움을 느낄 줄 아는 내가 참 좋다.

이 정도 '을'이면 충분히 행복한 삶이지 않을까.

누구에게나
부끄러운 순간은 있다

평범한 날이었다. 여느 때와 다를 것 없이 작업실에 덩그러니 혼자 앉아있는데 낯선 번호로 전화 한 통이 걸려 왔다.

"여보세요."

- 안녕하세요, 송세아 작가님 되시죠?

"네. 그런데요."

- 다름 아니라 저는 광고 제작회사 ***팀장인데요. 저희가 이번에 스타*스 커피 광고를 의뢰받았는데 광고 모델이 필요해서요. 광고 모델 섭외 때문에 전화드렸습니다.

(응? 스타*스? 나를 광고 모델로? 놀란 마음에 퍼져있던 몸을 고쳐 앉으며)

"광고 모델이요? 혹시… 어떤 형식의 광고인지 알 수 있을까요?"

- 아, 이번에 저희가 진행할 광고는요, 이삼십 대 여성 작가분이 스타*스에서 커피 마시며 글 쓰는 컨셉인데요. 작가에게 커피와 카페는 어떤 공간인지를 인터뷰하는 형식으로 진행될 예정입니다. 페이는 많이는 못 드리고, ***원 드릴 수 있는데 괜찮으실까요?

(상기된 얼굴로)

"당연하죠!! 가능합니다!! 가능해요!!"

- 감사합니다. 그러면 우선 작가님 사진 몇 장이 필요해서요. 반신 사진 한 장과 현재 모습 사진 한 장, 이 번호로 보내주세요. 현재 모습은 헤어스타일이나 전체적인 이미지를 체크해야 해서 그런 거니까 꼭 지금 모습으로 보내주셔야 하고요.

"네, 알겠습니다. 바로 보내드리겠습니다."

- 참, 진행되면 TV와 전광판 광고 동시에 진행할 예정이고요. 다음 주 23일 혹은 24일에 바로 촬영 들어가야 하는데 혹시 스케줄 괜찮으신가요?

"그럼요! 무조건 됩니다!"

전화를 끊고 애써 침착하려 물 한잔을 마셨다. 그러니까 지금 내가 대형 프랜차이즈 커피 전문점의 광고 모델로 발탁되기 일보 직전이라는 거지? TV를 틀면 내가 나온다는 거지? 드디어 나도 유명한 작가가 된다는 생각에 온몸에 털이 삐쭉삐쭉 솟아올랐다. 이 좋은 소식을 가족들에게 어서 알려야지 싶어 핸드폰을 들었다가 아차차! 사진! 해당 업체에 보내야 할 사진 생각이 났다. 최대한 작가답게 나온 사진이 없을까 하고 핸드폰 속 사진첩을 뒤적이다 재작년 책 출간 당시 찍었던 프로필 사진을 발견했다. 중단발 파마머리에 긴 속눈썹을 붙이고 어색하게 웃고 있는 사진. 진한 화장 탓에 나이 들어 보인다는 평을 듣긴 했지만 지금으로선 이 사진이 최선이었다. 더군다나 나는 지금 연예인이 아닌 작가로서 캐스팅된 것이니 오히려 나이 들어 보이는 모습이 더 나을지도 모를 일이었다(말도 안 되는 이야기이지만 이렇게라도 우선 마음을 안심시키고 싶었다). 문제는 현재 모습이 담긴 사진이었는데, 거울 앞에 선 내 모습은 도저히 사진으로 담으면 안 되는 모습이었다. 하늘을 찌르듯 질끈 묶은 똥머리에 안경, 쭈글쭈글 무릎이 늘어난 추리닝 바지를 입고 있는 지금의 내 모습은 작가 본연의 모습, 그러니까 하이퍼리얼리즘 100%를 구현하는 모습이지만…… 사진으로 담기엔 심히 부끄러운 행색이었다. 결국, 최근에 찍은 사진 중 그나마 화장도 하고 머리도 했던 무난한 사진 한 장을 선택했다.

[안녕하세요. 좀 전에 연락받은 작가 송세아입니다. 요청해주신 사진 두 장 보내드려요. 하나는 프로필 사진이구요. 다른 하나는 현재 모습 사진입니다.]

- [네, 감사합니다. 결재 올린 뒤 최종 확인 후 전화드리겠습니다.]

문자를 전송한 뒤 다시 거울 앞에 섰다. 그리곤 아주 잠시 반성의 시간을 가졌다. 아무리 작업실에 사람이 안 온다지만 언제, 어디서, 어떤 기회에 누가 찾아올지 모르는데 이건 아니지 싶었다. 긴장이 풀려도 한참 풀렸다는 생각에 앞으론 매 순간 완벽한 준비를 하고 있어야겠다고 다짐했다. 거창하게 말했지만 사실, 내일부턴 화장도 하고 옷도 좀 신경 써서 입고 나오자는 아주 심플한 다짐이었다. 그렇게 이틀이 지났다.

- [안녕하세요. 지난번 연락드린 광고 제작회사 ***팀장입니다. 다름 아니라 지난번 광고 건으로 현재 작가님을 포함해 두 분이 최종 광고 모델 후보에 올랐습니다. 주말까지 논의한 뒤 최종 선택되시면 바로 연락드리겠습니다.]

광고 업체로부터 문자가 왔다. 나와 어느 이름 모를 다른 작가가 광고 모델 최종 후보에 올랐다는 이야기였다. 이 문자는 애초에 나를 포함해 전화를 받은 무명 작가들이 꽤 있었다는 사실을 시사했다. 최종 후보 2인에 올랐다는 것에 기뻐해야 하는 건지, 아직 최종 광고 모델로 확정되지 않았다는 사실에 불안해해야 하는 건지 묘한 기분이 들었다.

그 후 주말 내내 나는 냉탕과 온탕에 번갈아 들어가며 정신없는 시간을 보냈다. 2:1의 경쟁률이면 안 될 것도 없지? 통화할 때도 거의 확정된 분위기였잖아? 하며 온탕에서 마음을 진정시키다가도 광고 모델은 무슨, 쓸데없는 기대하지 말자며 급히 마음에 찬물을 끼얹었다. 너무 많은 생각을 한 탓에 최종 발표가 있기 하루 전날, 급기야 오디션을 보는 꿈을 꿨다(5개 국어를 구사하는 경쟁지원자에게 기가 눌려 입도 못 뗀 채 탈락하고 마는 몹시 언짢은 꿈이었다). 참, 이게 다 뭐 하는 건지. 그렇게 싱숭생숭한 날들을 보내고 마침내, 결과 발표의 날이 다가왔다.

어떤 기회든 당장에라도 낚아챌 준비가 된 듯 한껏 꾸민 차림으로 작업실에 출근했다. 그렇게 한 시간, 두 시간, 초조한 시간이 흘렀다. 뭘 하려고 애써도 머릿속이 온통 결과 발표에 대한 생각뿐이라 아무것도 손에 잡히지 않았다. 이러지도, 저러지도 못한 채 시간을 보내다 띠링- 드디어 결과를 알리는 연락이 왔다.

- [작가님 안녕하세요. **제작사입니다. 안타깝게도

논의 결과 다른 작가님께서 최종 광고 모델로 캐스팅 되었습니다. 좋은 결과 알려 드리지 못해 죄송합니다. 추후 다른 기회로 다시 연락드리겠습니다.]

거절, 탈락, 실패, 좌절, 루저, 못난이…

온갖 안 좋은 단어들이 덕지덕지 온몸을 뒤덮은 듯한 느낌이 들었다. 화끈거리는 얼굴로 황급히 핸드폰을 내려놓고는 거울 앞에 섰는데, 과하게 꾸민 화장과 옷차림이 나를 더 작아지게 만들었다. 숨을 곳이 있다면 어디라도 숨고 싶을 만큼 부끄러웠다. 사진 두 장으로 누군가는 선택받고, 다른 누군가는 선택받지 못하다니. 차라리 꿈에서처럼 면접이라도 봤다면 상황이 달라지진 않았을까 하는 괜한 마음이 들기도 했다. 한참을 부끄러운 감정이 무성하게 자란 마음 사이를 헤집으며 돌아다니다 겨우 정신을 차렸다. 그리곤 당장 새 프로필 사진 촬영을 예약했다. 신간이 나오는 것도 아니고 새로운 일을 시작할 계획이 있는 것도 아니었던 내가 급하게 프로필 사진을 찍었던 건, 어떻게든 몸에 묻은 나쁜 단어들을 떼어내기 위한 일종의 몸부림이었다. 그렇게 나는 꽤 마음에 드는 새 프로필 사진을 마련했다.

안타깝게도 그 후로도 변한 건 없었다. 여전히 나는 유명하지 않은 작가이니까. 어쩌면 나는 더 좋은 글을 쓰는 사람이 되기 위해, 더 많은 사람에게 내 글을 알리기 위해 지금보다 더 자주 부끄러운 순간을 마주해야 하는지도 모른다. 그럼에도 할 수만 있다면 이 부끄러운 순간을 자주 마주하고 싶다. 결국엔 이 순간이 나를 더 좋은 쪽으로 이끌어 줄 것임을 잘 아니까. 최소한 이 감정이 무언가를 쓸 수 있는 글감 정도는 되어 줄 테니까. 화끈거리는 얼굴로 타닥타닥 쓰고 있는 이 글처럼 말이다.

쓰는 즐거움

막연하게만 느껴지던 일이 차츰 윤곽을 드러내는 일. 문제를 조금 더 객관적으로 살펴볼 수 있도록 하는 일. 내 마음의 형태를 알아가는 노력의 산물이자, 결과가 좋은 날엔 작은 해결책도 얻어갈 수 있는 일.

난 참 열심히
잘 살고 있다고

앞으로의 글은 무언가를 간절히 갈망하는 사람의 심경 변화를 나타낸 글이다.

발단_

내가 한없이 못나 보인다.
과언 나 따위가 이걸 해낼 수 있을까? 세상에 능력 있는 사람들이 얼마나 많은데. 괜히 상처받지 말고 하지 말자. 어느덧 내가 만든 시나리오 속 나는 몹시 못난

주인공이 되어있다. 그렇게 근원 없는 자괴감에 빠져 허우적거리다 불쑥,

전개_

뭐든 다 해낼 수 있을 것 같은 아주 이상한 기분이 든다. 세상이 뭐 별건가? 누군 대단해서 그렇게 됐나? 까짓거 나도 할 수 있어! 라며 근거 없는 자신감에 사로잡힌다. 우주의 기운이 나를 돕고 있는 것만 같은, 뭐든 잘 될 것만 같은 생각에 마음이 들뜨는데 이 모습은 과연 어제의 그 못난이가 맞나 싶은 정도이다. 그리곤,

위기_

하루에도 몇 번씩 발단과 전개가 앞다투며 마음속에서 넘실거린다. 무언가를 갈망하는 날이 길어질수록 이 발단과 전개의 간격이 좁아지는데 극심할 땐 하루에도 멀미가 나듯 마음이 넘실거려 도무지 종잡을 수 없는 하루를 보내게 된다. 급기야는,

절정_

내가 하는 이 작은 행동이 나쁜 결과를 초래할까 봐 어디에도 쉬이 마음을 놓지 못한다. 이를테면 이런 거다. 여기에 쓰레기를 버리면 하늘에서 나를 벌하려고 그 기회를 앗아가진 않을까 하는 마음에 가방에 온갖 쓰레기를 모아 오는 현상. 이런 것도 있다. 아직 확정되지 않은 일을 누군가에게 발설하면 발설과 동시에 좋은 운이 달아나 버릴까 봐 혼자서만 끙끙 앓는 것. 하루 일과가 초조함과 싸우는 그런 일이 되는 것. 그렇게 괜한 일에 이런저런 의미부여를 하다 보면 어느새,

결말_

별거 아닌 척, 관심 없는 척 차오르는 욕심을 애써 비워내며 정신 승리를 일삼는다. 분명 간절하면서도 아닌 척 마음을 외면하는 것이다. 혹시 잘 안되면 그건 인연이 아니었겠거니 하며 이미 수십 번이나 안 좋은 결말을 예견해 본 상태. 얼핏 보면 정신승리를 한 듯 보이지만 사실 이와 같은 생각은 실패로부터 자신

을 보호하기 위해 일종의 마음에 보호막을 친 것과 같다. 결국,

원하는 기회를 잡고 싶을 때 나는 종종 위와 같은 모습을 보인다. 한때 나는 한 편의 소설 전개와 같은 급급함 투성인 이 마음이 너무나도 싫었다. 남들처럼 매사에 좀 의연할 순 없을까 하는 생각에 스스로를 자책하는 날도 많았다. 왜 해보기도 전에 처음부터 끝까지 모든 이야기를 써내어버리는 건지.

그런데 웬일인지 요즘엔 소란스러운 이 마음이 좋아졌다. 생각만으로도 두근거리고, 꿈에서도 아른거리는. 몹시 잘 해보고 싶은 마음. 혹, 이 마음이 나를 아프게 한대도 포기하지 않으려 발버둥 치는 이 모든 것이 마치, 그럼에도 난 참 열심히 잘 살고 있다고 말해주는 것 같아서. 일도, 사랑도 아주 열심히 잘하고 있다는 사실을 온몸이 말해주는 것 같아서.

무언가를 간절하게 여기며 열심히 해나가는 것도 하나의 능력이라는 걸 이제는 너무나도 잘 알고 있기도 하고.

결국
나를 잃지 않는 것
(어린이 날에 어른이가)

1. 카레

아주 어릴 때, 그러니까 유치원 때 일이다. 점심으로 카레가 나왔는데 그때 처음 카레를 먹어봤다. 매웠는지, 시큼했는지 맛의 첫 느낌은 정확하게 기억나진 않지만 확실한 건 어린 내가 먹기엔 굉장히 거북한 맛이었다는 것이다. 향신료 냄새와 더불어 노란빛이 도는 카레의 색감, 밥을 말아 꾸덕해진 식감은 다시 돌이켜봐도 참 부담스러웠다. 당시에는 음식을 남기면 엄하게 체벌하는 유치원이 많았는데 내가 다니던 유치원도 그랬다. 식판 위 노란 카레를 바라보다 매섭게 노려보는 누군가의 눈빛이 아른거려 꾸역꾸역 카레밥을 입안으로 밀어 넣었다. 지금도 어린 날의 눈물 젖은 카레의 맛을 잊을 수 없다.

2. 성적

'태산이 높다 하되 하늘 아래 뫼이로다. 오르고 또 오르면 못 오를 리 없건마는 사람은 제 아니 오르고 뫼만 높다 하더라.' 양사언의 세 줄짜리 시조를 못 외워 더듬거리던 어느 밤이었다. 재롱잔치 전날 밤, 아무리 애를 써도 이 세 줄이 안 외워졌다. 다음날 유치원 대표로 무대에 올라 시조 낭송을 해야 했는데 발등에 불이 난 사람은 내가 아닌 우리 엄마와 아빠였다. 돌아서면 "뭐였더라…?"를 반복하는 나를 보며 엄마는 한숨을 푹푹 내쉬었고 아빠는 "다시! 다시!"란 말로 나를 재촉했다. 그러나 몇 번을 반복해 다시 외워도 돌아서면 머릿속이 새하얘졌고 끝내 나는 밤새도록 시조 세 줄을 외우지 못했다. 그런데 놀랍게도 그날 밤 이후로 나는 엄청난 자유를 얻었다. 재롱잔치의 충격 때문이었는지 그날 이후 우리 부모님은 더 이상 나에게 공부를 강요하지 않으셨으니까. 본의 아니게 학업에 대한 부모님의 기대를 완전히 꺾어버리고 만 것이다.

3. 꽃다발

아마도 이십 대 초반에 연인으로부터 꽃다발을 처음 받았을 것이다. 받았으면 받았지, 받았을 거라 애매하게 표현한 이유는 당시 나는 꽃다발 선물에 감흥을 느끼지 못하는 사람이었기 때문이다. 어차피 시들어버릴 꽃보다 오래 간직할 수 있는 마음이 담긴 손 편지를 더 좋아했다. 한편으론 시들어버릴 꽃보다 초콜릿 선물을 받는 게 더 좋다는 생각을 하기도 했다. 초콜릿도 먹고 나면 없어지는 건 마찬가지인데 왜 그렇게 생각한 걸까. 아무튼, 처음 꽃다발을 받은 순간이 언제였는지 정확히 기억나지 않을 정도로 그때 나는 꽃 선물을 좋아하지 않았다.

—

과거의 흔적이 모여 현재가 되고, 또 현재의 모습이 모여 미래가 된다고 하던데……. 생각해보면 이 말이 꼭 맞는 말 같진 않다. 과거완 달리, 지금 나는 누가 시키지 않아도 카레 전문점에 찾아 마치 마시듯 와구와구 카레를 먹곤 하니까. 부모님의 낮은 기대완 달리 학창 시절 성적이 꽤 나쁘지 않았고(재롱잔치 이후 자유를 얻었음에도 10대 시절, 왜인지 공부를 열심히 했다) 무엇보다 요즘엔 그 어떤 선물보다 꽃다발 선물을 좋아하니까.

자라나는 아이들에게 그리고 나를 포함해 여전히 자라고 있는 어른이들에게 이 말을 꼭 전하고 싶다. '한결같은 사람이 되어야 해.'라는 말로 스스로를 어떤 모습 안에 가두지 말자고. 우린 언제든 변할 수 있다고.

중요한 건 변해가는 내 모습을 이해하는 것, 그리고 더 많이 사랑해주는 것이라고.

어떤 상황에서도 나 자신을 사랑할 줄 아는 사람이 되는 것, 세상에 이보다 더 중요한 삶의 자세가 또 있을까.

화분

분갈이를 한 화분을 작업실 입구에 놓았더니 동네 주민 몇 분께서 활짝 웃으시며 꽃구경을 하신다. 몇 송이의 꽃만으로도 웃음을 나눌 수 있다니. 이 작고 연약한 존재들이 대견스러워 한참을 어루만져주었다.

우린 때론
나쁘다

작업실 주위를 배회하는 가여운 길고양이들이 눈에 밟혀 문 앞에 먹을 사료를 두었더니 비둘기들이 기웃거리기 시작했다. 밥그릇 주위에 비둘기 깃털이 날려있는 것을 보니 한두 번 기웃거린 것 같지 않다. 한 마리가 두 마리가 되고, 두 마리가 어느새 네 마리가 되어있다. 꾸우꾸우 괴상한 울음소리, 푸드덕푸드덕 요란스러운 날갯짓 소리가 듣기 싫어 몸서리를 쳤다. 몸에 비해 머리는 또 왜 이렇게 작은 건지. 고개를 까딱이며 다가오는 비둘기의 모습에 화들짝 놀라, 좌악 물을 끼얹어버렸다. 졸지에 물벼락을 맞은 비둘기들은 또 한 번 요란스럽게 날갯짓을 하며 달아나 버렸고, 그릇엔 가득 찬 사료만 덩그러니 남아있었다.

그렇다.
모두에게 좋은 사람은 이 세상 어디에도 없다.
때론 우린 이렇게나 나쁘다.

너무 쉽게
미워하지 않기로 해

그래서 이번엔 비둘기에 대해 이야기 해볼까 해. 며칠 전 친구가 그러는 거야. 비둘기가 빌딩 모서리에 서 있는 이유가 원래 절벽에서 번식하는 습성이 있어서 그런 거래. 절벽에서 번식하는 습성이라니, 왜 하필 절벽일까. 굳이 위험한 곳에서 번식하는 이유가 뭘까 싶은 거야. 그래서 비둘기에게 더 관심을 두게 됐어. 요 며칠 고양이 밥에 눈독 들이는 비둘기를 내쫓다 괜히 찝찝한 마음이 들기도 했고.

아무튼 관심을 갖고 이것, 저것 알아보니 비둘기에 관한 속설이 꽤 많더라고. 우선 첫 번째는 좀 전에 이야기한 절벽에 관한 속설이야. 친구의 말처럼 비둘기가 절벽에서 번식하는 습성이 있는 건 사실이래. 비둘기의 조상이 락 도브(Rock Dove)라는 종인데, 이 종이 원래 해안이나 내륙 절벽에서 번식하곤 했대. 그런데 문제는 우리 주위에 쉽게 보이는 비둘기들은 이야기가 조금 다르다는 거야. 우리 주위에 사는 비둘기들은 야생 비둘기가 아닌 집비둘기라서 절벽에서 번식하는 습성이 남아있지 않대. 그럼 이들이 왜 빌딩 모서리나 옥상에서 서식하느냐 하면 그냥 갈 곳이 없어서래. 도시에서 마땅히 지낼 곳이 없어서. 어쩌면 살아남기 위한 생존 전략 같은 거라지. 물론 우리가 비둘기가 아닌 이상 진짜 이유는 알 수 없지만 어쨌든 전문가들에 의하면 그렇대.

번식하는 습성 때문이든, 어쩔 수 없이 살기 위해서이든 이 사실을 알게 되니 푸드덕 날아다니는 비둘기들이 조금 딱해 보이는 거 있지.

아직 연민을 느끼기엔 조금 일러. 비둘기에 관한 몇 가지 이야기가 더 있거든. 이번엔 비둘기의 개체가 늘어난 이유에 대해 이야기해 줄게. 알아보니 아주 먼 옛날엔 사람들이 비둘기를 사육했다고 하더라고. 한때 비둘기가 평화의 상징이었잖아. 그래서 우리나라에서도 비둘기를 사육하던 때가 있었대. 그것도 내가 사는 서울에서 말이지. 예전에 서울시에서는 서울을 평화의 도시로 만들기 위해 비둘기를 대량으로 사육했었대. 그런데 문제가 생겼어. 비둘기의 개체 수가 걷잡을 수 없이 늘어난 거야. 생각보다 비둘기가 번식력이 높았던 거지. 그래서 어떻게 되었는지 알아? 몇십 년이 흐른 뒤 결국, 비둘기는 유해 동물로 지정되고 말았어. 우습지 않아? 집단 사육을 할 땐 언제고 이제 와서 유해 동물이라니. 내가 만약 비둘기라면 정말 억울하겠더라.

아무튼 비둘기에 대한 또 다른 사실을 알게 되니 부끄럽다는 생각이 들었어. 평화의 도시인 서울에 사는 한 사람으로서 말이야.

마지막으로 내 마음에 결정타를 날린 설이 있어. 바로 비둘기가 도시 소음으로 청력을 잃었다는 설이야. 왜 가끔 차가 지나가거나 사람이 가까이와도 도망가지 않는 비둘기들 있잖아. 그런 비둘기들 볼 때면 참 의아했거든. "재네는 겁대가리가 없군." 이라는 말도 자주 했었고. 그런데 그 이유가 도시가 너무 시끄러워 청력을 잃었기 때문이래. 사람이나 차가 가까이와도 피하지 않은 이유가 안 들렸기 때문이라는 거지. 놀랍지 않아? 비둘기가 사람 때문에 청력을 잃었다니. 나 역시 놀란 나머지 눈을 부릅뜨고 사실 여부를 알아봤는데 다행히 이건 사실이 아니래. 비둘기가 도망가지 않는 건 다른 이유 때문이래. 그 이유는 오랜 시간 사람과 함께 살면서 사람들이 자신을 해하지 않을 것이란 믿음이 생겼기 때문이래. 이런 도전정신 때문에 오래 오래 개체 수를 늘리며 살아남은 거란 이야기도 있고.

그런데 말이야, 난 이 사실이 제일 마음 아프더라고. 갑자기 오늘 낮에 머리를 내밀며 찾아왔던 비둘기들이 생각나 버렸거든. 그러니까 내 작업실 근처에 자주 출몰하던 비둘기들도 그랬다는 거잖아. 내가 자신을 해하지 않을 거라 굳게 믿고 찾아왔다는 거잖아. 어떻게든 살아보려고 나를 찾아왔다는 거잖아.

이제 보니 비둘기란 존재가 다시 보여. 아니, 다시 바라봐 주고 싶은 마음이 들어. 조금만 더 그들의 입장을 헤아려줬다면, 조금만 더 관심을 갖고 바라봐 줬다면 그들을 이렇게 무작정 미워하지 않았을 것 같거든. 그러고 보니 모든 미움이 다 그런 것 같아. 미움에도 명확한 이유가 필요한 것 같아. 뭔가를 미워하기 전에 조금만 더 관심을 갖고 그들의 입장을 헤아려 봐야 할 것 같아. 그러니까 내 말은 누굴 미워하더라도 이유 없이 그냥 미워하진 말잔 말이야.

있잖아, 나는 네가 너무 많은 것을 미워하며 살지 않았으면 좋겠어. 물론, 이건 나에게 꼭 해주고 싶은 말이기도 해.

비우는 연습이 필요해요

부스스 눈을 떴다. 방 안으로 따뜻한 햇볕이 내리쬔다. 핸드폰을 확인하니 아직 알람이 울리기까지 삼십 분의 시간이 남아있다. 이불 안으로 몸을 웅크려 파고들었다. 오늘 해야 할 일이 머릿속에 스친다. 라디오 대본 쓰기, 출판사 편집 관련 업무, 그리고 내 책에 실을 글쓰기. 프리랜서 작가가 된 지 벌써 5년 차. 시간이 어떻게 흘렀는지 모르겠다. 나름 만족하며 이 생활을 하고 있긴 하지만 아주 가끔은 도무지 끝을 알 수 없는 업무에 숨이 가빠질 때가 있다. 너무 많은 일을 한 번에 하려고 했던 탓일까. 어느 새벽엔 갑자기 숨이 쉬어지질 않는 당황스러움과 마주했다. 다행히 겨우 숨을 고르고 다시 잠이 들었지만 그 이후로도 답답한 마음이 때를 가리지 않고 찾아온다. 물론 머리를 쥐어뜯으며 포효하는 날은 더 많고. 회사에 다닐 땐 퇴근과 동시에 일에 대한 생각을 안드로메다보다도 훨씬 더 멀리 보내버렸었는데, 지금은 확실히 상황이 다르다. 아무것도 하지 않아도 내 머릿속엔 늘 해야 할 일들이 둥둥 떠다니기 때문이다. 그러니까 이 생활은 도무지 쉬는 날이 없다. 이래서 이 세상에 완벽하게 좋은 건 없다고 하나 보다.

그래서일까. 오늘처럼 할 일이 산더미처럼 쌓여 생각이 뒤죽박죽 뒤엉킨 날엔 마음 한편에 수줍게 이 단어가 피어난다.

'휴무'

비록 뜨거운 햇살이 이제 그만 일어나라고, 어서 하루를 시작하라고 재촉하지만 그래, 오늘만큼은 아무것도 안 하기로 마음먹었다. 하루쯤은 아무 생각 없이 쉬기로. 그냥 마음 내키는 대로, 흘러가는 대로 하루를 보내보기로. 이불 안에서 몸을 꼼지락거리며 핸드폰을 매만졌다. 그리곤 쇼핑몰 어플을 켜 새로 나온 옷들을 구경했다. 맞아, 이제 날이 쌀쌀해졌으니 두툼한 스웨터 하나 장만할 때가 됐지. 살굿빛에 폭닥폭닥해 보이는 질감의 스웨터를 발견하곤 과감하게 구매하기 버튼을 눌렀다. 보통 충동구매를 하면 왠지 모를 부채감이 느껴지기 마련이지만 오늘만큼은 기분 좋게 지르기로 했다. 오늘은 자그마치 휴무! 쉬는 날이니까!

인터넷 쇼핑을 시원하게 마치고 척추가 늘어질 만큼 기지개를 켰다. 등 뼈 마디마디가 늘어날 정도로 시원하게 스트레칭을 하고 나니 어느덧 배가 고파졌다. 냉장고를 열어 보니 며칠 전 이른 생일파티를 하고 남은 산딸기, 생크림, 초코 조합(누가 이런 조합을 만든 걸까. 세상에!)의 케이크가 있다. 여기에 커피 한잔을 곁들이면 아침부터 훨훨 날아갈 듯 기분 좋을 것 같다는 생각이 들던 찰나, 벌써 마음이 둥실둥실 들뜨기 시작했다. 지금 시각은 오전 열한 시. 좋아하는 라디오 방송을 틀고 호로록 아메리카노를 마시니 마음이 한결 부유해짐을 느낀다. 이런 게 행복일까? 산딸기 케이크 위에 살포시 행복이란 단어를 얹어보았다. 끼니를 해결했으니 다시 이불 속으로 들어가 엄마에게 전화를 걸었다.

엄마, 뭐해?

- 출근 준비하지. 넌 일 안 해?

응, 나 오늘 쉬는 날.

- 얼씨구, 팔자 좋네?

육십이 넘은 나이에도 화장과 드라이를 게을리하지 않으며 출근 준비를 하고 있을 엄마를 상상하니 이렇게 퍼질러 누워있는 게 미안해지지만, 오늘은 그 마음도 거두기로 했다. 오늘은 나도 그럴 권리가 있는 날이니까. 몸도 마음도 편하게 쉬기로 했으니까.

넷플릭스를 켜 오랜만에 영화 한 편을 때리기로 마음먹었다. 대낮엔 역시 애니메이션이지. 몽글몽글 감성적인 일본 애니 한편을 골라 플레이 버튼을 눌렀다. 그런데 으… 이러면 안 되는데. 아직 영화 시작한 지 10분밖에 안 지났는데 눈꺼풀이 무거워진다. 으… 자면 안 되…… 긴 뭐가 안 될까. 오늘은 내가 하고 싶은 대로, 흘러가는 대로 하루를 보내기로 하지 않았던가. TV 전원 버튼과 함께 나의 의식에도 잠시 전원 버튼을 눌렀다. 낮잠, 낮잠 타임에 들어선 것이다. 언제부턴가 낮이든, 밤이든 잠을 많이 자면 안 된다는 강박 때문에 알람을 맞추지 않으면 도저히 잠이 들기 어려웠다. 그래서인지 자기 전 몇 번이고 알람 시간을 확인하는 것이 습관이 되었다. 그러나 오늘은 그런 생각 말고 푹 잠들기로 했다. 오늘만큼은 한 시간을 자도, 두 시간을 자도 아무도 뭐라고 하지 않을 테니 말이다.

어느덧 오후 세 시. 평소 같으면 이쯤에서 괜한 죄책감에 일을 시작했겠지만 오늘은 어림도 없다. 왜 자고 일어나면 배가 고픈지. 또 한 번 출출해져 냄비에 물을 올렸다. 쉬는 날엔 무조건 라면이지. 칼칼한 김치 라면이 먹고 싶어 송송송 김치를 썰어 넣었다. 물론 파송송 계란 탁도 잊지 않았고. 면이 익을 동안 재빨리 TV를 켜 편성표를 확인했다. 무한도전! 무한도전을 보면서 호호 웃어가며, 후후 불어가며 라면을 먹으면 얼마나 맛있을까! 다행히 재방송 중인 채널을 발견했고 기쁜 나머지 발을 동동거렸다. 푸지게 라면을 먹고 나니 아주 살짝 밥알이 그리워졌다. 평소 같았다면 라면 국물은 다이어트의 적이라며 놀라운 자제력을 보였겠지만 역시나 오늘은 다르다. 시원하게 밥 한 숟가락을 떠 뽀얀 라면 국물 안으로 풍덩 입수시켰다. 윤기가 좌르르 흐르는 라면 밥에 김치를 올리니 당장에라도 이 라면과 사랑에 빠질 수 있을 것 같은 기분이 들었다.

그렇게 한참을 무한도전 속에 빠져있다 보니 숙제가

남았다. 그것은 바로 설거지. 이것도 내일 할까 싶다가 에잇, 설거지 정도는 지금 해주기로 했다. 나는 설거지를 좋아하니까! 뽀드득뽀드득 씻겨 내려가는 느낌도 좋지만, 설거지가 좋은 건 따로 있다. 겨울만 되면 손발이 꽁꽁 얼어붙는 수족냉증을 앓고 있는 나에게 설거지는 특효약과도 같은 것이기 때문이다. 따뜻한 물로 설거지를 하니 꽁꽁 얼어 창백했던 손가락이 붉은빛을 내뿜으며 생기를 얻기 시작한다. 손만 따뜻해도 몸이 한결 따뜻해지는 느낌이 들어 기분마저 좋아진다.

해가 일과를 마치고 퇴근 준비를 하려는지 뉘엿뉘엿 노을이 졌다. 울긋불긋한 노을은 내가 정말 좋아하는 것 중 하나이기에 잠시 노을을 감상하는 시간을 갖기로 한다. 내가 노을을 좋아하는 이유는 딱 한 가지다. 푸르기도 하고, 붉기도 하고, 때론 보랏빛이기도 한 아득한 노을을 보고 있으면 왠지 복잡했던 마음이 풀어지는 기분이 들기 때문이다. 무언가 이건 꼭 이렇게 해야 해! 하는 생각에서 벗어나는 기분이랄까. 이를테면 작가는, 편집자는 글을 잘 써야 해! 맞춤법을 절대 틀려서는 안 돼! 혹은 무조건 책을 많이 읽어야 해! 라는 생각에서 탈출하는 느낌(물론 그렇다고 글공부를 게을리하고 싶다는 이야기는 아니다. 왜, 누가 공부하라고 강요하면 더 하기 싫듯, 막연하게 그런 생각에 갇히고 싶지 않을 뿐이다). 보랏빛 노을을 바라보다 하늘이 꼭 하늘색이어야 하는 법은 없다는 생각에 마음이 느슨해졌다. 차츰 붉어져 가는 노을이 아쉬워 동네 산책을 하러 밖으로 나갔다. 좋아하는 노래를 들으며 산책을 즐기고 나니 어느덧 까만 밤이 찾아왔다.

지금 시각은 밤 9시. 따끈한 물로 샤워를 마치고 책을 읽다 노트북을 켰다. 오늘은 정말이지 하고 싶은 대로, 흘러가는 대로 하루를 보냈다. 의식적으로 쉬어도 괜찮다며 마음을 다독이며 하루를 보내긴 했지만 어쨌든 이 정도면 꽤 편안하게 하루를 보낸 셈이다. 무엇보다 일에 대한 생각은 거의 하지 않았다. 이렇게 쉬어보니 누군가의 이야기가 떠오른다. 지칠 땐 잠시 쉬어가라고. 아무것도 하기 싫을 땐 잠시 쉬어도 된다고. 그럴 땐 오히려 비우는 연습이 필요하다고.

앗, 잠시만, 비우는 연습이라… 그러고 보니 나는 아직 비우는 연습이 더 필요한 것 같다. 혹시나 글감을 놓칠세라 오늘도 이렇게 글 쓰는 일로 하루를 마무리했으니 말이다.

그래도 오늘 하루는 비교적 잘 쉬었다.

그거 내 거 아니야

서른넷, 엄마에게 처음으로 명품가방을 선물해 드렸다. 우리 엄마는 평소 꾸미는 걸 상당히 좋아하는데(외출을 위해 화장하고, 머리하는데 기본 한 시간은 걸린다) 그럼에도 좋은 가방 한번을 사질 않았다. 늘 동그랗고 큰 눈을 반짝이며 명품가방이 뭐가 필요하니 사람이 명품이면 뭘 들어도 다 명품이지, 할 뿐이었다. 그래서 나는 엄마가 정말로 명품에 관심이 없는 줄 알았다. 그런데 웬걸, 육십 년 만에 처음 명품가방을 손에 든 엄마는 그간 보여주지 않았던 환한 웃음을 보여주었다. 이럴 줄 알았으면 진작 사드리는 건데. 활짝 웃는 엄마의 얼굴을 바라보다 왜인지 마음이 먹먹해졌다. 멍하니 엄마의 팔목에 멋들어지게 걸려있는 가방을 바라보다 그날의 기억이 떠올랐다.

스물한 살 때였다. 엄마가 대뜸 명품가방을 내게 주는 거다. 그때도 나는 엄마가 이런 비싼 가방을 살 리 없다는 것을 잘 알고 있었기에 넌지시 어디서 난 가방이냐고 물었다. 그러자 무슨 일인지 직접 돈을 주고 사왔다고 했다. 그럴 리가 없는데, 엄마가 몇백만 원짜리 가방을 사 올 리가 없는데. 거듭 의심을 품은 채 얼마 주고 이 가방을 샀느냐고 재차 물었더니 단돈 10만 원을 줬다고 했다. 그러니까 이 가방은 말로만 듣던 모조품, 짝퉁 가방이었던 것이다. 엄마에게 어디서 이런 짝퉁 가방을 사 왔느냐고 또 한 번 물으니, 맙소사! 엄마는 목에 핏대를 세우며 이 가방은 무조건 진짜 명품가방이라 강조하는 것이 아닌가. 나는 그런 엄마에게 10만 원짜리 명품가방이 어디에 있느냐고, 특히 이 로고가 새겨진 가방은 절대! 하늘이 두 쪽이 나도! 10만 원일 리 없다고 반박했다. 그러나 엄마는 들으려 하지 않았다. 끝까지 이 가방은 진짜 명품가방이니 아껴 들으라는 말만 되풀이할 뿐.

다시 가방을 찬찬히 둘러봤다. 당시엔 나도 명품 가방을 실제로 구경해본 적 없었기에 모조품마저도 신기해 보였다. 엄마 말대로 진짜라고 생각하니 어느덧 고급스러워 보이기까지 했다. 이래서 뭐든 세뇌당하는 게 무서운가 보다. 고심 끝에 어린 나는 이 가방을 들고 다니기로 결심했다. 혹시 가짜여도 내가 진짜처럼 들고 다니면 남들도 진짜라고 보지 않을까 하는 마음에. 이 세상에 진짜와 가짜를 구별할 수 있는 사람이 얼마나 될까 싶기도 했고. 그러나 세상은 그렇게 호락호락하지 않았다.

당시 사귀던 남자친구의 친구들을 만나러 간 자리에서 일이 벌어졌다. 좌식 술집이었는데 자리가 비좁아 가방을 한데 모아 두고 자리를 잡았다. 그날도 역시 나는 (엄마 말에 의하면)10만 원짜리 명품가방을 들고 자리에 나갔다. 나만 알고 있는 비밀스러운 나의 가방이 내 손을 떠나 다른 이에게 옮겨질 때마다 팔팔 끓는 냄비 뚜껑처럼 마음이 뜨끔뜨끔했다. 그럴 때마다 나는 마음을 부여잡으며 침착하려 애를 썼다. 에이 설마, 가짜 가방인 거 아무도 모르겠지. 겉보기엔 내 가방도 영락없는 진짜 명품가방인데 뭘.

그렇게 얼마의 시간이 흘렀을까. 장소를 옮기기 위해 하나둘 짐을 챙기는데, 내 옆에 앉아있던 당시 남자친구의 여사친(여자 사람 친구)이 까랑까랑한 목소리로 외치는 게 아닌가.

"그거 내 거 아니야!!!"

상황을 보니 내 맞은편에 앉아있던 남자가 번쩍 내 가방을 들었고 그걸 본 여사친이 거듭 손사래를 치며 자기 가방이 아니라고 (굳이)외치고 있었다. 그리곤 그녀는 가방을 든 남자의 발밑에 유유히 놓여있는 또 다른 가방을 콕 집어, 자신의 가방이라 소리쳤다. 보아하니 내 가방과 그 여자의 가방은 약 70% 정도 흡사했다. 디테일하게 비교하자면 모양은 똑같은데 내 가방이 애매하게 작은 크기였다. 그러니까 내 가방은 알 만한 사람이면 누구나 알 수 있는 짝퉁 가방이었던 것이다. 얼굴이 붉어진 나는 잽싸게 내 가방을 받아서 들었고 그 모습을 지켜본 당시 남자친구는 얼마 뒤 나에게 (명품은 아니지만)나름 들고 다닐만한 가방을 선물해 주었다.

그 사건 이후 나는 엄마가 준 가방을 더는 들지 않았다. 엄마는 종종 왜 이 좋은 가방을 들지 않느냐고 물었고, 나는 그럴 때마다 그냥 싫증이 났다고 대답했다. 이 글을 쓰다 문득 궁금해진다. 과연 엄마는 그때 그 가방이 가짜 가방이었다는 걸 정말 몰랐을까. 알았다면 왜 나에게 굳이 그 가방을 들고 다니라고 한 걸까. 어쩌면 엄마는 사람이 명품이면 뭘 들어도 명품이라는 말을 진심으로 믿었던 건 아닐까. 엄마 눈에 나는 뭘 들어도 명품보다 더 귀한 사람일 테니. 어쨌든 올해로 육십을 맞이하고서야 좋은 가방을 들게 된 우리 엄마. 활짝 웃는 엄마 얼굴을 보니 지난날 묵혀 두었던 명품 가방의 체증이 내려가는 기분이다.

운수 좋은 날

유독 길에서 똥을 자주 밟는다. 의도한 건 당연히 아닌데 신발이 어디로 이끌기라도 하는 듯 굳이 안 밟아도 되는 것까지 족족 밟아낸다. 어디서 이상한 냄새가 난다 싶어 킁킁거리면 아니나 다를까 신발에서 온갖 냄새가 나는 일이 한두 번이 아니다. 며칠 전 새로 산 흰색 스니커즈를 신고 나갔다가 역시나 시원하게 똥을 밟고 말았다. 이제는 뭐, 오늘 운수 좋은 일이라도 있으려나 하며 이 일을 대수롭지 않게 넘기고 있다. 어쨌든 오늘도 시원하게 밟은 탓에 집에 오자마자 화장실로 향했는데 문제가 생겼다. 어디서부터 뭘 어떻게 시작해야 할지 눈앞이 캄캄해졌기 때문이다. 생각해보니 나는 단 한 번도 운동화를 직접 빨아본 적이 없었다. 운동화를 빠는 일은 늘 엄마의 몫이었기 때문이다. 누가 정해놓은 것도 아닌데 왜 매번 엄마에게 이런 힘든 일을 시켰는지. 어색하게 빨랫비누를 만지작거리다 엄마 생각이 났다. 신발에 뭘 묻히고 오든 뒤돌아서면 언제 그랬냐는 듯 햇볕에 바싹 말려져 있던 새하얀 운동화가, 그때 엄마의 사랑이 새삼스럽게 떠올라버렸다.

왜 매일 하얀 운동화만 사느냐고 타박하면서도 매번 새 운동화처럼 깨끗하게 빨아주던 엄마. 바스락거리는 셔츠를 유난히 좋아하는데, 엄마는 늘 나에게 왜 잘 다려지지도 않는 이런 셔츠만 사냐며 붉으락푸르락 화를 내곤 했다. 그럴 때면 나는 그냥 대충 빨라며, 혹은 대충 다리라며 심드렁하게 대답하곤 했는데 막상 직접 해보니 이것들은 도무지 대충이 안 되는 것들이었다.

아무리 솔로 박박 문질러도 지워지지 않는 얼룩을 보다 엄마의 얼굴이 스쳤다. 그동안 엄마는 얼마나 씩씩거리며 내 운동화를 빨았을까.

돌이켜보면 엄마는 늘 사람들에게 이렇게 말하곤 했다. 넉넉한 형편은 아니지만 지금껏 부족함 없이 두 아이를 키워왔다고. 그럴 때마다 나는 엄마의 말에 동의할 수 없어 자주 고개를 가로저었다. 그간 나는 결핍이 많은 삶을 살아왔다고 생각했으니까. 사고 싶은 것도 마음껏 살 수 없었고, 온전하게 넘치는 사랑도 받지 못했다고 생각했으니까.

어느덧 차오르는 눈물에 흐릿해진 얼룩을 지워내다 엄마의 애틋한 마음이 닿기 시작했다. 그러니까 엄마에게 나는 조금도 얼룩진 신발을 신기고 싶지 않은 귀한 사람이었던 것이다. 구김 없는 빳빳한 셔츠만 입히고 싶었던 사람. 자신의 그늘에서 티 없이, 어떠한 구김도 없이 자라길 바라는 금쪽같은 사람.

똥을 밟으면 그날 운수가 좋다는 이 말, 아무래도 맞는 말 같다. 그간 엄마의 사랑으로 부족함 없이 살아왔다는 사실을 이렇게 깨닫게 되었으니 말이다. 철부지 같았던 지난날을 반성하게 되었으니 말이다. 그리고 나는 참 귀한 사람임을 온몸으로 깨닫게 되었으니,

살면서 이보다 더 운이 좋은 날이 또 있을까.

한 아름, 꽃다발

어쩌다 보니 꽃꽂이를 하고 있다. 생각해보니 어릴 때 꽃집을 차리고 싶어 했던 것도 같다. 마음속에 깊게 묻어 두었던 소망의 씨앗이 이제야 돋아난 걸까. 어쩌다 보니 꽃시장에 갔고, 또 어쩌다 보니 꽃꽂이를 하고 있다. 요즘엔 책 포장에 쓰일 엄지손가락만 한 꽃다발을 만들고 있는데, 비록 작디작은 꽃다발이지만 이마저도 쉽지 않다. 꽃다발을 만들 땐 나름 전략적인 사고가 필요하다. 지금부터 내가 나열하는 문장은 꽃꽂이 클래스를 단 한 번도 가보지 않은 자의 오롯한 경험에 입각한 이야기이다. 즉, 전문적인 글이 아님을 미리 밝힌다.

미니 꽃다발을 만들 땐 나름의 구성이 필요하다. 우선 꽃다발 전체를 대표하는 메인 꽃이 있어야 하는데 보통 동글동글한 꽃송이가 이에 해당한다. 수국처럼 흩날리듯 잎이 작은 꽃은 그 꽃잎을 동그랗게 모아 메인 꽃으로 만들 수 있다. 메인 꽃을 정했다면 이 메인 꽃이 최대한 돋보일 수 있도록 돕는 구성 꽃을 골라야 한다. 여기에서 구성 꽃은 장미를 돋보이게 해주는 하얀 꽃송이인 안개꽃과 같은 것을 말한다. 초록 잎이 예쁜 유칼립투스, 꽃대에 아주 작은 꽃잎이 오밀조밀 붙어있는 미스티 블루, 강아지풀처럼 생긴 라그러스 등이 이에 해당하는데, 특히 중요한 점은 최대한 메인 꽃을 돋보이게 해주는 모양과 색감을 골라내야 한다는 것이다. 나름 색 조합에 감각이 있다고 자신하는 나지만, 막상 해보니 최상의 조합을 만들어 내기란 쉽지 않았다.

파란 수국 잎을 모아 메인 꽃을 만들고 녹색 빛이 도는 유칼립투스를 곁들였다. 연둣빛 바탕에 노란 꽃이 작게 박힌 미스티 블루를 이 둘의 뒷배경으로 덧대니 하나의 미니 꽃다발이 완성됐다. 노란 라이스 플라워(쌀알 같은 알이 송송 맺혀 라이스 플라워라 불리는 듯하다. 물론 이것도 확실하지 않다)에 연둣빛 미스티 블루, 연 베이지 톤의 라그러스를 묶어 또 하나의 다발을 만들었다. 가지고 있는 재료로 최대한 많은 경우의 수를 조합했더니 꽤 다양한 미니 꽃다발이 만들어졌다. 뿌듯한 마음에 만들어 놓은 꽃다발들을 테이블 위에 눕혀 놓고는 카메라를 들었다. 그런데 문제가 생겼다. 기껏 고심하며 만든 꽃들이 전부 흔하게 보이는 것이 아닌가. 분명 한 다발, 한 다발 나름 치열하게 고민하고 세심하게 조합한 작품인데…. 아무런 영혼 없이 누워있는 꽃다발들을 바라보다 불현듯 '사랑'이란 단어가 떠올랐다.

사랑이 그런 것 같다. 사랑할 때만큼은 평범하기 짝이 없는 우리도 누군가에게 유일한, 특별한 사람이 되지 않나. 웃을 때 살짝 올라가는 입꼬리, 두꺼운 손, 유난히 착해 보이는 짧게 깎은 손톱. 흔하디흔한 모습을 열심히 조합해 이 세상에 단 하나밖에 없는 특별한 사람으로 만들어 내는 것. 이것이 바로 사랑이지 않나.

소박하게 만들어 낸 작은 꽃다발들을 바라보다 생각했다. 무릇, 사랑이 담긴 수많은 시선에는 한 아름의 꽃다발이 피어있는 듯하다고.

은은한 노랑,
사랑

'사랑'이라는 단어를 좋아한다. 흘려 발음하면 '사탕' 같기도 한, 그래서 더 달달하게 느껴지는 '사랑'이라는 단어. 왜 사랑이라는 단어는 발음조차 '사랑'인 건지. 언젠가 한 번은 나를 알리는 소개 글을 써야 했는데, 고심 끝에 나는 '이 세상에서 사랑이 가장 중요한 사람.'이란 문장을 적었다. 그러니까 나는 정말이지 이 세상에서 사랑이 가장 중요하다고 믿는 사람이다. 나보다 더 아끼는 마음. 아픈 줄 알면서도 기꺼이 내어주고 싶은 마음. 떠올리기만 해도 금방 눈물이 날 것 같은 애틋한 마음. 할 수만 있다면 평생 이 모든 사랑이란 감정을 간직하며 살고 싶다. 혹시 사랑이란 감정을 잃게 되는 날이 오면 내 존재의 의미도 잃어버리게 될 거라 믿고 싶어질 정도로, 나는 사랑이 좋다.

그런 내가 요즘 걱정하는 것이 있다. 바로, 그렇게 좋아하는 이 사랑이란 단어가 위태롭게 느껴질 때가 있기 때문이다. "이젠 사랑 타령하는 책 잘 안 팔려요." 『짝사랑 계정』이란 책을 처음 냈을 때 누군가 나에게 건넨 이 말은 오랫동안 무거운 짐이 되어 마음속에 맴돌았다. 그러고 보니 요즘엔 순수한 사랑을 주제로 한 영화나 책을 만나보기란 쉽지 않은 것 같다. '어떻게 사랑이 변하니….' 애절한 표정으로 읊조리던 어느 배우의 얼굴을, 어둠이 짙게 깔린 새벽녘 이불 속에서 남몰래 읽어 내려가던 구구절절한 사랑이야기가 담긴 글을 좀처럼 만나보기 힘들다. 언제부터인가 사랑을 쓰고 말하는 것이 오글거리는 일이 되어버린 것 같아서,

가끔은 걱정이 될 정도로 냉소적인 사회 분위기에 깊은 불안감을 느낀다.

물론, 나의 이 걱정이 시대적 분위기 때문만은 아니다. 변해버린 나의 환경도 큰 몫을 했다. 결혼한 이후로 사랑에 관한 글을 쓰기가 버거워졌기 때문이다. 왠지 유부녀의 사랑은, 남편에 대한 애틋한 마음은 이미 만개해 피워낼 꽃잎이 없는 것처럼 느껴져 쓰기 힘들었다. 더 이상 아무도 그 꽃잎을 궁금해하지 않는, 그런 사랑이라고 해야 할까.

결혼을 끝으로 막을 내린 멜로드라마를 보다 괜스레 마음이 답답해졌다. 멜로드라마의 마지막 장면은 늘 왜 결혼인 건지. 마치 사랑의 수명이 결혼과 함께 다해버린 것만 같아서 애꿎은 리모콘에 화풀이를 했다. 감정을 잔뜩 실어 리모콘 위 빨간 버튼을 누름과 동시에 입술을 꾹 깨물었다. 왜 이 세상엔 애틋한 결혼 생활 이야기를 다룬 드라마는 존재하지 않는 걸까. 왜 부부의 삶을 다룬 이야기는 솜사탕처럼 달콤한 사랑 이야기가 아닌, 질펀한 진흙 위를 어렵게 걸어가는 이야기여야만 하는 걸까.

이미 결론이 난, 그래서 극적인 이야기랄 게 없는 이 사랑 이야기를 나는 앞으로 어떻게 써 내려가야 할지 막막해져 흰 바탕 위 깜빡이는 커서를 멍하니 바라보는 시간이 늘어만 갔다. 이 세상에서 사랑이 가장 중요하다고, 사랑에 관한 글만큼은 누구보다 잘 쓸 자신 있다고 당당하게 외치던 지난날이 부끄러워 얼굴이 붉어졌다. 서로를 향한 감정이 사랑보단 우정에 가까워졌음을, 언젠간 나도 이 감정을 받아들여야 할 텐데. 어쩐지 나는 이 '사랑'이란 단어를 쉬이 놓고 싶지 않다.

—

이른 아침 어디선가 웃음소리가 들려왔다. "깔깔깔, 이 양반이 아침부터 왜 이래…." 늘 그래 왔듯 귀에 이

어폰을 꽂고 음악을 들으려는데 어느 할머니의 맑은 웃음소리에 걸음을 멈추었다. 평소 듣기 힘든 할머니의 아이 같은 웃음소리에 고개를 돌려보니 멀지 않은 곳에 노부부가 손을 잡고 걸어가고 있었다. 노부부는 몸이 편찮으신 할머니와 그의 남편으로 보이는 할아버지였는데, 둘은 예쁜 모자를 함께 나눠 쓰며 아침 산책을 하고 있었다. 그리고 나는 그곳에서 예기치 못한 사랑을 발견했다. 혹시 숨이 차진 않은지, 다리가 아프진 않은지 할머니를 살피고 또 살피는 할아버지의 걸음에서 비로소 사랑을 발견했다. 따뜻한 배려와 응원이 담긴 걸음 안에 피어나는 사랑. 그것은 분명 사랑이었다.

—

두근거리는, 설레는, 아찔한, 때로는 위태롭기까지 한. 지금껏 내가 알던 사랑과는 조금 다른 모습의 사랑이었다. 보통의 사랑을 빨간 하트모양이라고 한다면 오늘 발견한 이 사랑은 노란 하트모양쯤으로 보였다. 뜨겁게 타오르진 않지만 꺼지지 않은 채 자금자금 불씨를 피우는 따뜻한 사랑. 노랗게 물든 노부부의 사랑을 바라보다 어쩌면 사랑은 '천천히'라는 단어와 만날 때 더 견고해지는지도 모른다고 생각했다. 이 사랑은 두근거리는 사랑보다 더 완벽하고도 안전한 사랑이겠지.

여전히 나는 사랑에 관한 글을 쓰며 헤매고 있다. 매일 같은 일상, 특별한 사건이랄 게 없는 이 사랑 이야기를 어떻게 써야 할지 몰라 머뭇거리고 있다. 그럼에도 나는 끝까지 이 사랑 이야기를 놓지 않을 생각이다. 적어도 나에겐 지금 내가 하는 이 사랑이 낭만이니까. 안전한 사랑 안에서 피고 지기를 반복하며 노랗게 물들어 갈 이 사랑 이야기가 결국엔 내 삶의 전부이니까.

풋풋한 빨강,
사랑

그게 어떻게 된 건가 하면요.

조금 특이해요. 그저 아무 생각 없이 그 사람 얼굴을 바라봤는데 웃음이 나오려고 하는 거예요. 생각해보면 그 사람도 묘하게 웃고 있었던 것 같아요. 정말 찰나의 순간이긴 한데, 아무튼 제 기억에 그 사람도 웃고 있었어요. 그 이후로 그 사람의 작은 부분 하나하나가 눈에 들어오기 시작하더라고요. 이를테면 이런 거예요. 통통한 손가락 끝에 정갈하게 정돈된 손톱, 팔목에 나 있는 작은 점, 어렴풋하게 보이는 옅은 보조개. 뭐 이런 사소한 것들이요. 다른 사람들은 잘 보이지도 않는 부분이 눈에 들어오는 거예요. 귀엽다는 말은 너무 앞서 나갔고, 특이하다는 말로는 조금 부족한 그런 느낌으로요. 그리곤 이런 생각을 했어요. 왜 하필 그 사람은 손톱 모양이 이렇게 생긴 걸까. 왜 하필이면 그 위치에 점이 나 있을까. 왜 보조개가 있는 둥 마는 둥 뾰얗게 핀 걸까. 자꾸만 그의 사소한 부분이 머릿속에 떠다니는 거예요. 아무것도 아닌데 진짜 왜 이러는지 모를 정도로요.

그 후론 눈을 맞추기가 힘들어졌어요. 그 사람과 눈이 마주치면 왠지 아직 정돈되지 않는 이 마음을 들킬 것 같았거든요. 뭐라 표현하기엔 아직 애매한 마음이라 우선 숨겨야 할 것 같아 최대한 눈을 피하려 노력했어요. 그래서 힐끗힐끗, 아닌 척하며 겨우 그 사람을 바라봤는데 맙소사! '탁'하고 눈이 마주쳤어요. 놀란 나머지 후다닥 도망치고 싶단 생각이 들던 찰나에 마음속에서 먼저 뜀박질을 시작해버리더라고요.

사랑.
사랑에 빠지는 순간이에요.

당신에게 기꺼이
선을
긋기로 했다

'사람과 사람 사이엔 벽이 있다.' 아주 어릴 땐 사람 사이의 '벽'이란 게 어렵게만 느껴졌다. 때론 나에게 건네는 상대의 지나친 예의가 거대한 벽처럼 느껴져 불편하기까지 했다. 좀 편하게 대해주면 안 되는 걸까, 왜 굳이 관계를 어렵게 만드는 걸까 하는 생각에 상대를 원망하기도 했다. 더욱이 처음 보는 사람과도 편하게 지낼 수 있는 성격인 나는 어렵게 다가오는 사람보단, 오히려 초면에도 스스럼없이 농담을 주고받을 수 있는 사람이 더 좋았다.

둘 사이를 가로막던 벽이 허물어지고 나면 더 이상 장애물이 없을 것이라 예상했건만. 현실은 그렇지 않았다. 허물어진 벽 뒤엔 또 다른 장애물이 있었는데, 그건 바로 선이었다. 나는 꽤 오랜 시간 동안 그걸 몰랐다.

며칠 전 중요한 자리에 갈 일이 있어 새 옷을 샀다. 늘 편한 옷차림으로 있다 보니 격식 있는 자리에 입고 갈 옷이 마땅치 않아, 나름 시간과 비용을 들여 옷을 샀다. 짙은 남색 계열의 정장 바지에 옅은 핑크색 계열의 블라우스였는데, 평소 입지 않는 스타일의 옷을 입고 작업실에 있자니 행동 하나하나가 불편하고 어색했다. 마치 지나치게 예의를 차리는 사람과 마주 앉아 있는 느낌이랄까. 약속 시각이 이른 저녁이었기에 불편한 옷차림으로 업무를 보고 있는데 T가 찾아왔다. 아이스 아메리카노 두 잔을 테이블 위에 놓고 나란히 앉은 우리는 도란도란 이야기를 나눴다. 얼마쯤의 시간이 지났을까, '촤르륵-' 허벅지에서 시원한 커피 향이

났다. T가 새로 산 내 바지에 커피를 쏟은 것이다. 아침부터 평소와 다른 차림으로 집을 나섰던 것을 알고 있던 T는 어쩔 줄 몰라 하며 당황했고 나는 그런 T에게 온갖 짜증을 냈다. 중요한 자리에 입고 가야 할 바지였다며, 왜 조심하지 않았느냐며 무안해하는 T에게 필요 이상으로 화를 냈다.

겨우 상황을 정리하고 자리에 앉았는데 문득, T를 처음 만났던 날이 떠올랐다. 겨우 서로의 존재를 막 파악했던 그때. 사는 곳은 어디인지, 가족관계는 어떻게 되는지. 이름 외엔 많은 걸 몰랐던 우리 둘 사이엔 넘을 수 없는 큰 벽이 있었다. 내게 T의 첫인상은 존재 자체만으로도 어려운 느낌이었기에 우리 사이에 놓여있었던 유난히 높았던 벽도 절대 허물어지지 않을 것 같았다. 처음 보는 사람과도 쉽게 벽을 허물어 버리던 나였음에도(훗날 나의 남편이 될, 그러나 당시엔 절대 상상조차 할 수 없었던) 이 사람과는 절대 허물 수 없는, 허물고 싶지 않은 벽이 있음을 자인했다. 그런 우리가 연인이 되고,

마침내 부부가 되었다. 그리곤 절대 허물 수 없을 것만 같았던 벽도 어느샌가 사라져 버렸다. 이제 우리 둘 사이엔 어떤 가림막도 존재하지 않는다고 믿었다. 서로의 시간과 마음에 언제든 넘나들 수 있는 그런 사이가 되었다고 생각했다.

그러나 이 생각엔 문제가 있었다. 붉으락푸르락 화를 내던 내 모습을 떠올리다 과연, 이 사람을 오늘 처음 만났다면 내가 이렇게까지 화를 낼 수 있었을까 하는 생각이 들었기 때문이다. 여전히 미안한 기색이 역력한 저 남자와 내가 큰 벽에 가로막혀있는 어려운 사이였다면 나는 분명 다른 태도를 보였겠지. 그럴 수 있다며, 괜찮다며 세상 착한 얼굴로 오히려 이 남자를 토닥이며 상황을 수습했겠지. 가까워졌다는 이유만으로 이렇게나 느슨해져 버린 내 행동이 미안하고 부끄러워져 마음이 따끔거렸다. 그리곤 곧장 T와 나 사이에 얇은 선을 하나 그었다. 아무리 가까운 사이더라도 절대 넘어서는 안 되는 얇디얇은 선.

그러고 보니 모든 관계가 그렇다. 사랑, 우정, 연민…. 둘 사이를 채우는 단어가 하나, 둘 쌓이다 보면 거대해서 절대 허물어지지 않을 것 같았던 벽도 차츰 희미해진다. 이 벽이 완전하게 허물어지지 않았을 때 반드시 해야 할 것이 있는데, 그것이 바로 선을 그어주는 것이다. 서로의 마음에 상처를 입히지 않을 최소한의 선을 긋는 것. 여기서 포인트는 타이밍이다. 이미 경계가 모호해진 곳에 선을 긋기란, 벽을 허무는 것만큼이나 오랜 시간과 단어가 필요하므로. 물론 지금껏 내가 말하는 선은 서로를 위해서, 더 돈독한 관계를 위해서 긋는 선이다.

첫 만남부터 너무 쉽게 서로를 넘나들 수 있다는 건 어쩌면 언제든 서로의 마음에 생채기를 낼 수 있다는 의미인지도 모른다.

생각이 여기까지 미치자 그동안 내가 맺었던 모든 인간관계를 다시 정리하고 싶어졌다. 첫 만남은 될 수 있으면 어려웠으면 좋겠고 이미 쉽게 가까워져 얇디얇은 실선조차 존재하지 않은, 그래서 사소한 한마디에 상처를 주고받았던 관계엔 어렵지만 선을 긋기로 했다.

상대에게 내가 조금 멀게 느껴지더라도 그만큼 더 길게, 오래, 아끼는 사람들을 곁에 두기 위해 나는 기꺼이 선을 긋기로 했다.

언행불일치

1.

며칠 전 지인에게 선물할 일이 있어 수제 케이크를 샀다. 카스텔라 빵 안에 딸기가 알알이 박혀있는 딸기 케이크였는데, 빨간 딸기 토핑 위엔 슈가 파우더가 먹음직스럽게 뿌려져 있었다. 먹기 아까울 정도로 예쁜 케이크를 보니 어서 케이크의 주인공에게 이 모습을 보여주고 싶은 마음이 들었다.

몇 시간 뒤 주인공을 만나 짜잔! 하며 케이크를 공개했는데 아뿔싸! 문제가 생겼다. 그 사이 슈가 파우더가 딸기 안에 스며들고 만 것이다. 확실히 하얀 가루가 없어지니 여느 평범한 케이크와 다를 게 없는, 특별하게 예쁜 모습이 사라진 케이크가 되어버렸다. 으앗! 이 예쁜 모습을 보여주지 못하다니! 그것도 불과 몇 시간 만에! 케이크야, 어떻게 이럴 수 있니! 어떻게 그렇게 쉽게 변할 수 있니! 약속한 마음에 변해버린 케이크에 대고 소리라도 치고 싶었다.

2.

공교롭게도 지난주 라디오 오프닝에 '변화'에 관한 글을 썼다. 이 세상에 변하지 않는 단 한 가지 사실은 '모든 것은 변한다.'라는 사실이라고. 그러니 변화를 당연하게 받아들이자고 썼다. 길가에 핀 나무들도 사시사철 다른 모습을 띠고, 꽃들도 피고 지기를 반복하듯 모든 것은 변하는 게 당연하다며 열심히 이야기를 풀어나갔다. 급기야는 변화를 당연하게 받아들이는 것이

나무, 꽃, 사람을 비롯한 모든 것에 대한 예의라고까지 쓰고야 말았다.

3.

그러고 보면 나는 하루에도 몇 번씩 언행불일치를 일삼으며 살고 있다. 누군가에게 '이건 이렇게 해야 해!'라고 말하면서 정작 나는 그렇게 하지 않는, 그야말로 언행불일치. 말과 글을 행동으로 옮기기가 이렇게나 쉽지 않기에 앞으로는 매사에 조금 더 신중해야겠다고 생각했다. 물론, 이 글도 행동으로 옮긴다는 장담은 못 하지만.

그래도 그날의 케이크는 참 맛있었다.

당신을
마주한다는 것

몇 년 전부터 혼자 살아보고 싶다는 생각을 했다. 내 취향으로 꾸며진 방. 오직 나만의 공간에서 내가 좋아하는 노래로 꽉 채운 채 홀로 누워있는 상상을 자주 했다. 당시 엄마랑 둘이 살았던 나는 어떻게든 나만의 공간에 혼자 있고 싶어 방문을 걸어 잠그고 문밖에 나가지 않곤 했다. 거실에서 멍하니 TV를 보고 있을 엄마에게 미안하다는 생각보단 나 홀로 조용한 공간에서 글을 쓰고 싶다는 생각이 더 컸던 그때의 나는, 지금 생각해도 참 철이 없었다. 10대

때도 찾아오지 않은 사춘기가 왜 서른을 넘겨 찾아와 버린 건지. 엄마는 그런 나를 가끔은 미워하고, 또 가끔은 이해하는 듯했다. 스치듯 보이는 엄마의 서운한 낯빛을 애써 외면하던 어느 날, 이렇게 사는 건 엄마에게도, 나에게도 좋지 않다는 생각이 들었다. 독립을 하기로 마음먹은 것이다. 그렇게 부동산 어플을 켜 이 집, 저 집을 알아보기 시작했는데 이마저도 쉽지 않았다. 꼭 마음에 드는 집은 월세를 충당하기에 만만치 않은 가격이었으니 말이다. 엄마가 멀리 사는 것도 아니고, 굳이 회사가 먼 것도 아닌데. 단지 혼자 살고 싶다는 생각만으로 이 비싼 월세를 내야 한다니. 이 돈이면 좋아하는 옷 몇 벌은 더 살 수 있다는 생각에 독립을 향한 욕망을 가지런히 내려놓았다. 물론 그 후로도 글을 쓰려고만 하면 방문을 열고 들어와 무언가를 부탁하는 엄마와 자주 마주쳤고, 그럴 때면 그냥 나가서 혼자 살아봐? 하는 생각이 솟구쳤지만. 그렇게 독립을 향한 욕구가 빼꼼히 고개를 내밀며 찾아오는 날이 잦아가던 어느 날, 드디어 독립할 기회를 맞이했다. 결혼. 결혼이란 걸 하게 되었으니 말이다.

결혼을 결심하고 T를 엄마에게 처음 소개했던 날. 긴장한 나와 달리 엄마는 태연해 보였다. 초조해하는 나에게 엄마는 뭘 그렇게 긴장하느냐며 너털웃음을 지었다. 엄마도 이런 자리가 처음일 텐데, 결코 쉽지 않은 자리일 텐데 어쩜 이렇게 태연한 건지 싶어 아무리 생각해도 우리 엄마는 보통 사람은 아니라고 생각했다. 내가 아는 엄마는 어디서든 당당했기에 엄마의 반응이 크게 놀라울 일도 아니었다. 그렇게 조용한 식당에서 엄마와 마주 앉아 내 옆에 앉은 T를 소개했다. 엄마는 반짝반짝한 눈으로 T에게 인사를 건넸고, 잠시 후 나는 놀라운 광경을 마주했다. 물 잔을 든 엄마의 손이 떨리고 있었던 것이다. 뭘 그렇게 긴장하느냐며 호탕하게 웃어 보였던 엄마가 떨고 있었다. 그렇게 나는 난생처음 파르르 떨리는 엄마 손을 발견했다. 그리곤,

떨리는 엄마의 손을 쉽게 잡아 줄 수 없다는 걸 깨달

았을 때, 난 엄마로부터 완전한 독립을 의미하는 '결혼'을 실감했다.

—

예상대로 결혼 후 나는 엄마로부터 완벽히 독립했다. 그렇게 바라던 나만의 공간도 생겼고, 좋아하는 노래로 꽉 채운 공간에서 느긋하게 앉아 글 쓰는 시간도 가질 수 있게 되었다. 그런데 막상 이렇게 살아보니 이 생활이 마냥 편하고 행복한 건 아니었다. 내가 생활하는 곳곳에 엄마의 손길이 얼마나 많이 닿아있었는지, 하루하루 실감하며 살아가고 있으니 말이다. 같이 살 땐 왜 이 모든 걸 당연하게만 느꼈었는지. 하루는 T와 엄마를 모시고 식당에 찾았다가 또 하나의 새로운 사실을 발견했다. 바로, 엄마가 더 이상 내 옆이 아닌 앞에 앉기 시작했다는 것. 늘 옆에 앉아있던 엄마의 얼굴을 비로소 마주하게 되었다는 것.

그러고 보니 결혼한 이후 엄마는 어딜 가든 내 옆이

아닌 앞에 앉곤 했다. 더 이상 엄마가 옆에 있지 않다는 것. 눈을 뜨고 있을 때보다 감고 있을 때 더 자주 엄마가 보인다는 것. 이게 바로 완벽한 독립, 결혼이었다. 이 사실을 조금만 더 일찍 알았더라면 엄마가 옆에 앉아 있을 때 손 한 번 더 자주 잡아 주는 건데. 독립하고 싶다며 부동산 어플을 전전긍긍하기 전에 엄마의 이야기에 조금 더 귀 기울여 주는 건데. 사랑한단 말도 더 자주 하는 건데. 왜 나는 뭐든 이렇게 지나고 나서야 깨닫는 건지. 요즘엔 혹시 또 다른 것을 뒤늦게 깨달으면 어쩌지 싶어,

엄마를 떠올리다 자주 애가 탄다.

누군가 다치지 않을 만큼만,
나를 사랑하세요

라디오 작가로 일하며 가장 짜릿할 때를 꼽자면(아마 누군가는 웃을 테지만) 바로, 방송을 통해 내 목소리를 들을 때이다. 생각보다 라디오 작가는 많은 일을 해야 한다. 라디오 작가가 글만 쓰면 참 좋겠지만 때에 따라선 방송에 직접 참여해야 한다. 제작비가 부족해 게스트 섭외가 어려울 땐 직접 방송에 투입되기도 하는데 나 또한, 어쩌다 보니 방송에서 되도 않는 연기력으로 콩트도 해보고, 노래방 기계에 영혼을 맡긴 채 목청껏 노래도 불러봤다. 요즘엔 문화 전반을 소개하는 코너의 고정 게스트로 참여하고 있다. 라디오 작가라면 모름지기 글이 잘 써질 때, 혹은 내가 쓴 글을 DJ가 맛깔나게 읽어줄 때 가장 보람을 느낀다고 할 법도 한데. 솔직하게 난 그보다도 방송을 통해 내 목소리를 들을 때 조금 더 희열을 느낀다.

그래서인지 나는 종종 다시 듣기로 방송 모니터링을 하는 편이다. 특히 유독 말을 잘한 날엔 뿌듯한 마음에 몇 번이고 내 분량을 반복 재생하며 다시 듣곤 한다. 이어폰을 통해 들리는 내 목소리가, 어딘가 엉성한 발음이, 나만이 낼 수 있는 웃음소리가 들으면 들을수록 좋다. 누군가는 이런 내 모습을 '정상이 아닌 상태로 달라짐. 또는 그 상태', 그러니까 변태라고 부를 테지만 나는 정말 라디오를 통해 흘러나오는 내 목소리가 좋다.

물론 처음부터 그랬던 건 아니다. 과거엔 라디오에서 흘러나오는 내 목소리를 듣다가 부끄러워 온몸에 닭

살이 돋기도 했다. 어색하게 정제된, 마치 어른 흉내를 내는 듯한 내 목소리가 낯설어 도저히 듣기 힘든 날도 많았다. 그러나 이왕 방송에 참여할 거라면 방송의 질을 위해서라도 한번은 내 목소리와 마주해야 했다. 그렇게 두 눈을 질끈 감고 제발 오늘은 끝까지 들어보자며 재생 버튼을 눌렀던 어느 날, 그리곤 생각했던 것보단 나쁘지 않다는 느낌이 들었던 그 어느 날 이후, 나는 내 목소리를 사랑하게 되었다.

두 권의 산문집을 냈을 때도 비슷한 양상을 보였다. 첫 책을 낸 뒤 내가 쓴 책을 펼쳤는데 아니나 다를까 어디론가 숨고 싶어졌다. 대체 이런 문장은 왜 쓴 건지 싶어 책을 던져버리고 싶은 충동이 들기도 했다(실제로도 몇 번 던졌다). 이 세상엔 왜 이렇게 글 잘 쓰는 사람이 많은지. 톡 하고 건드리면 동그랗게 몸을 웅크리는 콩 벌레가 되는 듯 마음이 쪼그라들어 밤잠을 설치는 날도 많았다. 그러던 어느 날 큰마음을 먹고 책을 펼쳐 읽기 시작했는데 웬걸, 이보다 더 행복할 수가 없는 거다. 어느 밤엔 내가 이런 글을 썼다는 사실이 자랑스러워 마음이 꽉 찬 기분이 들기도 했다. 그렇게 책 속의 나에게 흠뻑 빠진 채 밤을 지새우는 날이 늘어갔다. 이 역시 누군가는 피식하고 웃겠지만 말이다. 가끔은 지인에게 내 책을 선물하고는 선물 받은 사람의 입장이 되어 다시 내 책을 읽어보기도 했다. 그 사람은 아마도 이 문장에서 잠시 주춤했겠지, 하면서.

그러던 어느 날이었다. 왜인지 모르게 그날따라 아빠 생각이 났다. 우리 가족 중 유일하게 아빠만이 내 책에 대해 어떻더라 언급한 적 없었기에 아빠는 과연 내가 쓴 글을 어떻게 읽었을까 싶었다. 하여 이번엔 아빠를 떠올리며 내 책을 펼쳐 읽기 시작했다. 그러나 얼마 후 나는 마음이 따끔거려 주체할 수 없었다. 상처 난 부위에 뜨거운 물을 붓기라도 한 듯 마음이 아려 도저히 견딜 수 없었다. 그동안 내가 쓴 책 속 아빠는 나의 약점이었고, 미움의 대상이었고, 불화의 원인이었기 때문에. 아빠를 향한 내 마음이 꼭 이랬던 건만은 아닌데,

왜 나는 이렇게밖에 글을 쓰지 못했던 걸까. 아빠는 과연 내 글을 읽으며 어떤 마음이 들었을까. 왜 난 한 번도 글을 쓰며 아빠의 입장을 고려해보지 않았던 걸까. 왜 이 세상이 나를 중심으로만 돌아가는 듯 이기적인 사람처럼 굴었던 걸까.

왜 나는…….

어쩌면 아빠는 내가 쓴 문장을 읽을 때마다 나처럼 아팠을지 모른다. 내 책의 한 페이지, 한 페이지가 아빠에겐 출렁다리 위를 걷는 것처럼 아찔하게 다가왔을지도. 그럼에도 묵묵히 내 꿈을 응원해준 아빠에게 이번 책만큼은 부디 끝까지 편안하게 읽을 수 있는 책이었으면 좋겠다. 아빠는 더 이상 나에게 약점도, 미움의 대상도 아니니까. 더 정확히 표현하자면 사랑이란 단어와 함께 떠올리는 나의 소중한 사람이니까.

부채의식

사랑하는 사람에게 내 글이 아픔으로 다가올 때,

그럴 때 나는 종종 초라한 작가가 된다.

향수

마음에 봄볕이 내리쬐던 날.

그런 날이면 그곳을 떠올린다. 그곳은 내가 30년은 족히 머금었던 곳이다. 결핍이라는 감정이 걸음마다 차올라서 가만히 있는데도 자꾸만 숨이 차던 그곳. 그 감정이 또 다른 열심을 만들고, 그렇게 발을 굴리는 것 말곤 내가 할 수 있는 거라곤 아무것도 없을 것만 같았던 그곳. 언젠간 반드시 떠나고야 만다는 다짐을 밥 먹듯 하게 되는 그곳. 행복하지 않은 순간의 기억들로 범벅이 되어있는, 그렇지만 왜인지 결코 미워할 수 없는 그곳. 한때는 사랑하는 이에게 거짓을 남발하기도 했던 그곳은 이제는 나의 고향이 되어버린, 여전히 우리 엄마가 사는, 향이가 사는 곳이다.

—

달에 한 번 그곳에 간다. 엄마도 볼 겸, 향이도 볼 겸. 전에는 그곳을 미워만 했었는데 이제는 왜인지 미움보다는 애틋함이, 구체적인 대상이 없는 미안한 감정이 앞선다. 따뜻하게 내리쬐는 봄 햇살을 맞으며 그곳을 걸었다. 집 앞 놀이터 벤치에서 한 소녀를 만났다. 소녀는 세상에 나 홀로 남겨진 듯 훌쩍이며 울고 있었다. 똑 단발과 교복 차림이 소녀를 더욱 쓸쓸하게 만드는 듯했다. 저녁 무렵 붉은 가로등 불빛 밑에서는 앳된 얼굴의 두 남녀를 만났다. 두 사람은 '적당하다'라는 말을 온몸으로 표현하듯 딱 그만큼의 다정함을 유지하며 걷고 있었다. 이미 많은 걸 알아버렸다는 듯 미묘한 표정을 지으면서. 근처 버스정류장에서는 곱게 머리를 쪽진, 아직은 어색한 투피스 정장을 입은 한 사람을 만났는데 비장하다 못해 어딘가 처절해 보이는 표정을 짓고 있었다. 나른한 주말 낮, 동그랗고 귀여운 눈을 가진 강아지와 종종걸음을 맞추며 산책하는, 공허한 두 눈을 가진 한 사람도 만났다.

인간은 망각의 동물이라고 하던가. 비에 젖은 책처럼 눅눅한 날들이 참 많았었는데. 달아나 보니 그곳에서의 모든 기억이 햇살에 비친 강물처럼 반짝거린다. 다시 돌아가고 싶지 않으면서도 그 시절을 떠올리면 한 땀, 한 땀 바느질하듯 마음이 따끔거리는 걸 보면 어쩌면 나는 오랫동안 그곳을 사랑했는지도 모른다.

눈을 감고 그곳을 떠올린다

정다운 친구들의 웃음소리가
방울방울 눈가에 맺혀올 때

꾹꾹 눌러쓴 종이에서 나는
우글우글 낙엽 부서지는 소리가
마치 한 소녀의 절박한 이야기로 들려올 때

바람결에 흔들리는 나뭇잎 소리가
그래도 희망이란 걸 붙들어 매던
누군가의 간절한 삶처럼 느껴질 때

살아온 날들에, 사는 날들에
그리고 살아갈 날들에
이유를 붙이곤 발걸음을 내디딘다

걸음마다 피어나는 눅진한 향기는
또 다른 삶의 이유들을 만들어 낼 테고

나는 그걸 감히,
향수라 부르고 싶다.

아름답고도
아름답지 않은 것

「시」라는 영화를 봤어.

영화 속 주인공 미자는 꽤 낭만적인 사람이야. 언젠가 꼭 한번 시를 써보고 싶다는 생각을 마음에 품고 살 정도로, 육십이 넘은 나이에도 온몸이 비에 흠뻑 젖는 것을 마다하지 않을 정도로 낭만을 곁에 두려 하는 사람이지. 어느 화창한 봄날, 미자는 길에 떨어진 살구를 발견하곤 생각에 빠져. 그리곤 누군가에게 이렇게 말해.

"살구는 스스로 땅에 몸을 던져요. 깨어지고 밟혀요. 다음 생을 위해서요. 너무 아름답지 않나요?"

기어코 아름다운 것을 발견하고야 말았다는 듯, 드디어 시가 나에게 말을 걸어온다는 듯 미자는 세상에서 둘도 없는 황홀한 표정을 지으며 말하지. 그 옆엔 미자보다 10년은 젊어 보이는 여자가 서 있었는데, 어쩐지 여자는 알 수 없는 표정을 짓고 있어. 슬픈 것 같기도 하고 화가 난 것 같기도 한, 아무튼 어딘가 많이 불편해 보이는 표정을 짓고 있어.

알고 보니 몇 달 전에 여자의 딸 희진이 강에 스스로 몸을 던진 거야. 미자의 표현을 빌리자면, 마치 살구가 다음 생을 기약하며 스스로 땅에 몸을 던지듯 말이야.

그 장면은 내게 오랫동안 많은 이야길 던져주었어.

깨지고 밟히는 순간마저도 누군가는 아름답다고, 누군가는 그렇지 않다고 여기는 걸 보면 세상은 어디까지나 내가 보는 만큼, 내가 느끼는 만큼의 모습으로 존재한다는 것. 완벽하게 아름다운 순간도, 완벽하게 슬픈 순간도 말하자면 다 '순간'이라는 것과 같은 이야기들 말이야.

그리곤 이런 생각을 덧붙였지.

나에겐 완벽하게 아름다운 순간이
다른 이에겐 아픔일 수도 있다는 것.

아무튼 나는 이 영화를 보고 난 이후부터 아름다운 순간을 마주할 때면 자꾸만 뒤를 돌아보게 돼. 혹시 누군가는 그 순간을 아픔이라 여기고 있진 않을까 싶어서.

그러니까 말이야,

때때로 삶이 즐겁다는 나의 글이

누군가의 마음을 불편하게 하지 않았으면 좋겠어.

자꾸만 내 글을 다시 읽으며

혹시 누군가의 마음이 다치진 않았을까

이 사람, 저 사람 떠올리고 지우기를 반복하는 밤,

말하자면 오늘은 그런 밤이야.

무책임한
위로

쏴아-. 얼굴에 후두둑 물방울이 떨어진다. 눈을 감고 떨어지는 물방울에 몸을 맡긴다. 하나, 둘, 셋, 넷, 다섯…. 어느덧 얼굴 전체를 덮은 물방울을 씻어내려 어푸어푸 세수를 한다. 다시 눈을 떠보니 어느새 욕실 안은 뿌연 연기로 가득 차 있다. 하루 중 내가 꽤 좋아하는 시간은 샤워하는 시간이다. 한여름에도 뜨거운 물로 샤워하는 나 때문에 우리집 샤워부스엔 자주 뿌연 연기가 찬다. 이 뿌연 연기와 함께 아주 반가운 손님이 찾아오는데 그건 바로, 글감이다. 마치 산신령이 나타나 금도끼 줄까, 은도끼 줄까 묻는 것처럼 이런 글 써볼래, 저런 글 써볼래 연기 속에서 스멀스멀 피어나는 글감들. 이런 글감을 만날 때마다 나는 샤워부스에 샤워 신령이 나타났다고 여기곤 한다. 아무튼, 최근 '위로'에 관한 글쓰기에 몇 번이나 실패한 나는 경건한 마음으로 샤워기를 틀었다.

쏴아-.

며칠 전 TV에서 위로를 전하는 방법에 대해 본 적이 있는데 내용은 다음과 같았다. 한 사람이 평소 타인으로부터 받고 싶은 위로의 말을 정하면 나머지 사람들이 주위를 돌며 끊임없이 그 말을 전해주는 방식이었다. 이를테면, 누군가 내 주위를 빙글빙글 돌며 이렇게 외치는 것이다.

"세아야, 너 참 잘하고 있어."
"세아야, 너 참 잘하고 있어."
"세아야, 너 참 잘하고 있어."

TV 속 어느 연예인 역시 나처럼 잘하고 있다는 말이 듣고 싶었나 보다. 그녀를 동그랗게 둘러싼 사람들이 빙글빙글 돌아가며 잘하고 있다고 외치기 시작했으니. 그런데 가만 보자. 이게 위로가 된다고? 잘하고 있다는 뻔하디뻔한 이 말이 위로가 된다고? 말도 안 된다는 생각에 채널을 돌리려던 찰나, 놀라운 일이 벌어졌다.

첫째,

대뜸 '잘하고 있다'라며 위로받던 연예인이 울기 시작한 것이다.

둘째,

'잘하고 있다'라며 위로를 전하던 다른 연예인도 울기 시작한 것이다.

대망의 셋째,

그 장면을 멍하니 지켜보던 나도 훌쩍훌쩍 울기 시작한 것이다.

이것 참, 말이 안 되지 않는가. TV에서 연예인을 향해 무작정 잘하고 있다고 외치는 장면을 보며 내가 울다니. 심지어 나한테 잘하고 있다고 말하는 것도 아닌데.

도대체 위로가 뭘까.
어떤 위로를 진정한 위로라 할 수 있을까.

한동안 아무런 맥락 없이 그저 '잘 될 거야. 힘내.'라는 말로 채워진 에세이들을 보며 과연 이걸 위로 에세이라 할 수 있을까 하는 생각이 들곤 했다. 가끔은 막연하기 짝이 없는 위로의 글을 읽다가 이건 너무 무책임한 문장이란 생각에 씩씩거리는 날도 있었다. 하여, 나는 그들과는 다른 위로를 전하고 싶었다. 뻔한 위로가 아닌 읽는 이로 하여금 진한 여운을 남기는 위로의 글을 쓰고 싶었다. 그러나 이건 참, 말처럼 쉽지 않은 일이었다. 며칠째 머리를 쥐어뜯으며 위로에 관한 글을 고치고, 또 고쳐 써 봐도 썩 마음에 들지 않는 글만

써질 뿐이었으니 말이다.

사실 생각해보면 그럴 만도 하다. 내가 쓰는 모든 글은 내가 보고, 느끼는 생활에서 나오는 법인데 프리랜서 작가로 전향한 이후 사람을 자주 만나지 못하다 보니 위로의 방식도, 위로할 기회도 잃어버린 지 오래되었다. 더군다나 코로나로 친구를 만나는 횟수도 줄어들고 있으니 타인에게 위로를 건네고, 위로를 받는 이 모든 행위가 쉽지 않은 일이 되었다. 거참, 누굴 만나야 위로를 주고받지. 그런데 오늘 불쑥, 샤워 신령이 내게 찾아와 위로에 대한 어렴풋한 이야기를 전해주었다.

그건 바로 '뻔한 위로'에 대한 이야기였다.

때론 의미 없는 뻔한 위로도 필요하다고.
아무런 맥락 없이 그저 '잘하고 있다'라는 문장만 반복해 들어도 눈물이 나고야 말았던 나처럼, 무책임한 위로마저도 필요한 사람들이 있다고.

혹, 이 글을 읽는 당신도 나와 같진 않을까 싶어
이렇게나마 위로를 전한다.

오늘도 참 많이 애썼다고.
지금도 충분히 잘하고 있고
앞으로도 잘 해낼 거라고.

당신은 누구보다
가치 있는 사람이고
나는 그런 당신이 참 좋다고.

갑자기 떠오른 글감 탓에 어영부영 샤워를 마쳤다. 몸에 묻은 물기를 채 닦기도 전에 노트북을 열어 글을 쓰고 있는 걸 보니 나 정말 잘하고 있나 보다.

정말이지 이건 아무런 맥락도 없는 그저 무책임한 위로의 글이다.

버텨주어서 고맙다는 말

낮에는 후텁지근하지만, 밤에는 선선한 바람이 불어오는 초여름 밤을 좋아한다. 뺨을 스치는 바람을 온전히 느끼다 보면 왠지 시원한 바람이, 아직은 따뜻한 온도가 고된 하루 견뎌내느라 고생했다며 다독여주는 것만 같아서.

그런 초여름 밤의 공기를 느끼기 위해 동네 산책길에 나섰다가 길목에서 오래된 슈퍼를 만났다. 회색빛의 낡은 간판 때문에 하얀 형광등이 유난히 밝아 보이는 곳. 오래된 곳에서 나는 눅눅한 냄새도, 먼지 쌓인 상품도 결코 싫지 않은 정감 가는 슈퍼였다. 왠지 카드를 내밀면 주인아저씨께 실례인 것만 같아 주섬주섬 현금이 있나 확인하게 되는 그런 슈퍼. 슈퍼 앞에 잠시 쉬었다 가라는 듯 마련된 작은 테이블과 파라솔을 발견하곤 냉큼 캔맥주와 과자를 샀다.

그렇게 슈퍼 앞 평상에 앉아 맥주 한 모금을 시원하게 마시곤 오도독 씹히는 감자 칩을 먹으니 "아, 이게 행복이지."라는 말이 절로 나왔다. 슈퍼 사장님께 이 슈퍼 운영하신 지 얼마나 되었느냐고 여쭤보았더니 올해로 29년 차에 접어들었다고 하신다. 외관부터 하나하나를 뜯어보니 모든 인테리어에서 그간의 세월이 묻어났다. 슈퍼 주변엔 생긴 지 얼마 안 된 빌라들이 들어서 있었는데, 어떻게 이 슈퍼만 그 오랜 세월을 버틸 수 있었을까 싶은 마음이 들었다. 그리고 각박한 세상 속에서도 꿋꿋하게 버텨준 이 슈퍼가 참 대견하게 느껴졌다. 이 모든 순간을 간직하고 싶어 핸드폰 카메라

앱을 열었는데, 카메라 앵글에 잡인 34년 된 내 모습이 보였다. 34년 동안 쉽지 않은 날들 포기하지 않고 버텨주어서 고맙고 대견하다는 말, 오늘만큼은 나에게도 이 말을 꼭 전해주고 싶다.

주인공이 된다는 것

(아주 가끔은 내가 없으면 안 되는 이야기 속에서 살고 싶다)

유난히 야경을 좋아한다. 높은 곳에서 저만치 아래를 내려다보면 세상 모든 것이 별것 아닌 것처럼 느껴져서, 세상에 수놓아진 작은 불빛들을 따라가다 보면 그저 마음이 편해져서 좋다. 굳이 아등바등 살지 않아도 될 것만 같은 후련한 마음이 든다고 해야 할까. 요 며칠 과연 내가 작가로서 괜찮은 글을 쓸 수 있는 사람인가와 같은 텁텁한 생각에 머리가 아파져 북악스카이웨이를 찾았다. 고즈넉한 정자 위에 올라가 서울을 한눈에 담으니 이런들 어떠하리,

저런들 어떠하리 어느 시조의 한 구절이 떠올랐다. 높은 빌딩 사이로 붉은빛과 노란빛을 번갈아 띠며 지나가는 자동차들, 선선하게 부는 가을바람까지. 모든 것이 완벽한 순간이었다. 그렇게 한참을 여러 불빛을 따라가다 나도 모르게 내뱉은 말.

"아, 여기 있는 모든 불빛의 주인이 내 책의 존재를 알게 되었으면 좋겠다."

나 이거 참, 여기까지 와서도 이런 생각을 하다니. 가끔은 아무리 발버둥 쳐도 헤어 나오기 힘든 감정이 있는데, 그럴 땐 차라리 아무것도 하지 않은 채 묵묵히 그 감정을 받아들이는 게 더 낫다고 생각한다. 그렇게 나는 이 모든 감정을 다시 온몸으로 짊어진 채 터벅버터벅 집으로 향했다.

프리랜서 작가 일을 시작한 뒤, 다행스럽게도 여러 일을 해오고 있다. 라디오 작가, 외부 글 관련 업무들(

보통 행사 시나리오작가와 글쓰기 강사로서의 일이 이에 해당한다) 그리고 출판사 편집자일까지. 모두 글과 관련되어 있다는 공통점이 있지만 이러한 일들은 책을 쓰는 작가로서의 일과는 분명한 차이가 있다. 그것은 바로 내가 이 직업의 주인공이 되느냐, 마느냐의 문제이다. 하나하나 예를 들어보자면 이렇다. 우선 라디오에서 주인공은 엄연히 말하자면 DJ일 테다(물론 DJ 못지않게 함께해 주시는 청취자분들 또한 주인공이다. 어쨌든 중요한 건 라디오 작가인 나는 주인공이 아니라는 것). 외부 행사에서 역시 작가는 조연일 뿐 주인공일 수 없다. 마지막으로 출판사의 편집자는 더더욱 주인공이 될 수 없다. 책이 만들어지는 모든 순간을 함께하지만, 판권에 이름 하나 새길 수 있는 정도이니 말이다.

그런데 한 권의 책의 작가는 조금 다르다. 비로소 모든 행위의 주인공이 될 수 있다. 특히나 에세이 작가는 더욱 선명하게 주인공이 될 수 있다. 이 주인공으로서의 삶은 책이 출간되기 전부터 시작된다. 글쓴이가 보고, 듣고, 느꼈던 모든 순간이 글에 녹아 있으므로. 출간 이후엔 말할 것도 없다. 책과 관련된 모든 행사의 주인공은 단연 나이다. 특히 내 책을 주제로 한 북토크에서는 얼마든지 내가 하고 싶은 이야기를 해도 된다. 그 자리에 함께해 주시는 사람들은 별것 아닌 내 이야기를 궁금해하고 때론 말도 안 되는 눈빛을 보내며 공감해주신다. 감사하게도 말이다.

물론, 주인공이 되지 못하는 직업이 하찮다는 이야기를 하기 위해 이 글을 쓰는 건 아니다. 단지 살면서 한 번쯤은 주인공으로 살아봐야 하지 않을까 싶어서. 그렇게 살기 위해 할 수 있는 일 중 가장 효과적이고 좋은 방법이 바로 글쓰기란 이야기를 하고 싶어 이 글을 적고 있다. 어쨌든 이러한 이유로 글과 관련된 많은 일 중 내가 가장 잘 해내고 싶고, 우선순위에 두고 싶은 직업이 바로 에세이 작가이다.

사실 과거의 나는 지금처럼 주목받는 걸 좋아하는 사

람이 아니었다. 오히려 주인공보다는 주인공 옆의 친구로 있을 때 더욱 마음이 편했다. 그 이유가 무엇 때문일까 생각해보니, 아주 어릴 때의 기억으로 돌아가게 된다. 오빠가 있는 나는 어릴 때부터 두 번째에 익숙했다. 딱히 누가 시켰던 것도 아닌데 뭘 하든 오빠 다음으로 해야 한다고 생각했고, 좋은 것이 있으면 그건 늘 내 것이 아니라고 여겼다. 지금도 마지막 하나 남은 음식엔 손을 대는 법이 없다. 그것 역시 나의 것이 아니라고 생각하므로.

누군가는 연애할 때 비로소 주인공으로서의 삶을 살 수 있다고 하지만, 역시 나는 좀 달랐다. 우선 나는 그동안 상대를 먼저 좋아해서 연애를 시작해본 적이 없다(이건 결코 자랑이 아니다. 그만큼 내가 수동적인 인간이라는 거다). 내가 얼마나 수동적인 인간이었는가 하면, 누굴 만나느냐에 따라 입고 있는 옷, 머리 스타일, 말투, 삶에 대한 가치관, 급기야는 눈빛까지도 달라지곤 했다. 상대방에게 무얼 먼저 하자고 제안하기보다 그저 '

네가 원하는 게 내가 원하는 것'이라 뭉뚱그려 이야기하는 사람(물론 지나간 모든 연애사는 양쪽 이야기를 들어봐야 하지만, 적어도 내가 기억하는 나의 연애는 그랬다). 그저 흘러가는 대로, 모든 게 정해진 순리겠거니 하며 살아가는 사람. 그나마 열정적으로 했던 것이 연애였는데 이 연애조차도 쉽지 않다고 느꼈던 어느 날이었다. 막 이별을 하고 돌아섰는데 웬일인지 눈물이 나지 않았다. 이 사랑 이야기에서조차 주인공이 되지 못했음을 온몸으로 느꼈던 어느 겨울, 덜컹거리는 버스 안에서 다짐했다. 제발 한 번만이라도 주인공으로 살아보자고.

1화

주인공이 되기로 한 이후 나는 이 세상에 나를 내던지기로 마음먹었다. 그러기 위해서 가장 먼저 차단해야 할 감정은 '부끄러움'이란 감정이었다. 그러고 보니 누군가에게 내가 어떤 것을 좋아하고, 잘하는지 설명하지 못했던 가장 큰 이유가 바로 이 부끄러움이란 감정 때문이었다. 그러니까 노래를 좋아한다고 말하면 누군가 노래를 시킬까 봐, 그러면 너무너무 부끄러워 숨고 싶어질까 봐 나는 쉬이 이 말을 입 밖으로 꺼내지 못했다. 그러나 이제 변하기로 했다. 그만 이 부끄러운 감정을 벗어던지기로, 나에게 조금만 더 관대해지기로.

그래서 시작한 게 노래였다. 어릴 때부터 방문 걸어 잠그고 부르던 노래를 사람들 앞에서 불러보기로 한 것이다. 물론 이 과정도 순탄치만은 않았다. 직장인 밴드 보컬에 도전해 보고 싶어 기타리스트를 찾아갔는데(스물아홉 살 때 일이다) 아니나 다를까 대뜸 노래부터 시켰으니 말이다. 아직 내가 누구인지, 어떤 사람인지 설명하기도 전에(이름도 묻지 않았다) 두꺼운 악보집을 먼저 건네받은 나는 서둘러 부를 수 있는 곡을 골라두어야 했다.

'그냥 이대로 도망칠까.'
'바로 노래를 부르라니. 아무래도 못 하겠는데….'

자리를 박차고 일어나는 상상을 몇 번이나 리플레이하면서도 손은 덥석덥석 악보를 고르고 있었다. 그렇게 침을 꼴깍꼴깍 삼켜가며 몇 개의 곡을 골랐고, 얼마

지나지 않아 귓가에 기타반주 소리가 들려왔다.

'지금이라도 못 하겠다고……는 무슨 못 하겠다고야. 에라 모르겠다.'

흐르는 반주에 얼떨결에 두 눈을 질끈 감고 노래를 시작했다. 당연히 목소리는 떨렸고 온몸은 뻣뻣하게 굳어갔다. 그래도 이렇게 된 이상 어쩔 수 없었다. 물가에 뛰어들었으니 헤엄이라도 쳐야 했다. 어떻게 한 곡을 불렀는지 모르겠다. 겨우 숨을 돌리려고 하는데 그(기타리스트)는 아무 말 없이 내가 꺼내 놓은 다른 악보의 곡을 연주하기 시작했다. 그러면 나는 또 아무 말 없이, 그래 어쩔 수 없이가 더 어울리겠다. 어쨌든 노래를 하고. 그렇게 몇 곡을 이어 불렀다. 이 모든 것이 자연스러워질 때쯤 그가 드디어 입을 뗐다.

"자, 그럼 바로 길에서 한번 불러봅시다."
"네? 지금 바로 길에서요?"

그는 나에게 이름도 묻지 않은 채 길거리 버스킹 제안을 했다. 하루아침에 이게 다 무슨 일인가 싶었지만 여기까지 온 이상 더는 물러서고 싶지 않았다.

두둥두둥 기타 소리가 들렸다.
노래를 시작했다.

지나가는 사람들이 힐끔힐끔 나를 보는 느낌이 들었다. 부르르 몸이 떨려 눈을 감았다. 눈을 감으니 아무것도 보이지 않았다. 오직 기타 소리에 수줍게 얹힌 내 목소리만 들릴 뿐.

어렴풋하게나마 주인공이란 세 글자가 머리 위에 스쳤다.

2화

글쓰기를 시작했다. 사실 아주 어릴 때부터(열다섯) 일기를 줄곧 써왔는데, 생각해 보니 무언가를 꾸준히 한다는 건 그걸 잘한다고는 장담할 수 없지만 적어도 좋아하는 것임은 분명했다. 한 번 나에게 관심을 기울이니 그동안 너무했나 싶을 정도로 나는 나를 참 많이 모르고 있다는 생각이 들었다. 그런데 문제가 생겼다. 글을 쓰고 책을 내기로 마음먹으니 불쑥 '작가'라는 타이틀이 부끄러워지기 시작한 것이다. 이러지 말기로, 좋아하는 일에 부끄러워하지 말기로 수없이 다짐했으면서도 누군가에게 나를 작가라고 소개하려니 왠지 모를 죄책감이 들었다. 이 죄책감은 내가 그동안 좋아했던 작가님들을 향한 마음이었는데, 그들의 노력에 비해 글을 쓰며 들인 나의 노력이 한없이 부족했음을 잘 알고 있었기 때문이었다.

그럼에도 나는 꾸역꾸역 이 부끄러운 마음을 눌러 감췄다. 지금껏 무언가 돼보고 싶어서 남들보다 더 많이 참고, 노력해왔는데(물론 이것도 내 기준이지만) 늘 그만큼의 보상을 받지 못했다고 생각했다. 그러니 이번 한 번만큼은 노력에 비해 더 큰 보상을 받고 싶어 욕심을 냈다. 거창하게 이야기했지만 정리하자면, 스스로를 작가로 인정해주기로 했다는 것이다. SNS 소개에 턱하니 작가라는 글자를 새겼고 작가로서의 일을 찾아다니기 시작했다. 재밌게도 내가 나를 작가라 인정하니 어느덧 사람들도 아무렇지 않게 나를 작가라 불렀다. 내가 나를 바라보는 시선이 이렇게나 중요했다는 걸 실감하는 순간이었다. 그렇게 아주 조금씩 내 삶이 바꿔고 있었다. 물론 여전히 누군가 "유명한 작가세요?" 라는 밑도 끝도 없는 이야기를 하곤 하지만, 뭐 이쯤은 괜찮다. 어쨌든 이 말 역시 나를 작가로 여겨주는 것일 테니 말이다. 드디어 내가 내 삶을 온몸으로 부여잡으며 살고 있다는 생각에 행복해졌다.

3화

이 책이 세상 밖으로 나오고 나면 나는 또 어떤 삶을 살아가게 될까. 그토록 바라던 내 삶의 주인공으로, 많은 이가 찾아주는 작가로서 살게 될까. 내가 만약 드라마 속 주인공이었다면 이쯤에서 꿈과 사랑을 찾으며 훈훈하게 이야기가 마무리되겠지만, 삶이 그렇게 간단하지 않다는 것쯤은 나도 안다. 앞으로도 나는 때론 주연으로, 때론 조연으로 살아가게 되리라는 것도.

3화까지 쓴 이 시나리오가 어떻게 흘러갈지는 아무

래도 살아봐야 알 것 같다. 이 글을 쓰고 있는 작가인 나마저도 앞으로 주인공이 어떻게 살아가게 될지 가늠할 수 없으니. 중요한 건 언제까지나 나는 이 주인공 역할을 놓지 않을 것이라는 것.

아주 가끔은 내가 없으면 안 되는 이야기 속에서 살고 싶으니 말이다.

언젠가 내가 썼던 가사

가끔 틀렸다는 말도 역시 틀려

다르단 걸 알잖아.

그저 너의 길을 걸어가면 돼.

from. 달팽이

어느덧 찬 바람이 불기 시작했다. 시멘트벽을 느릿느릿 기어 다닌 지도 벌써 한 달째. 오늘 아침 부쩍 날이 쌀쌀해진 탓에 시멘트벽이 얼음장처럼 차가워졌다. 그나저나 이 벽은 도무지 끝을 알 수 없다. 어디까지 기어가야 끝이 나오는지. 애초에 이 벽을 타는 게 아니었는데. 한 달 전만 해도 날이 너무 더워 그늘진 곳을 찾아 헤매다 여기까지 왔는데 아무래도 길을 잘못 들어선 것 같다. 아무것도 먹지 못한

지 벌써 보름이 넘었다. 이제 뭘 좀 먹어야 할 텐데. 이 거무튀튀한 벽에는 정말이지 풀떼기 하나 없다. 비가 내렸으면 좋겠다. 올해는 비가 참 많이 내려 어디서든 살 만했는데, 요 며칠 해가 쨍쨍해 더욱이 몸을 움직이기 힘들다. 겨우 몸에 저장해 둔 물을 사용해 움직이고 있는데 이마저도 쉽지 않다. 점점 몸에 수분이 빠져나가는 게 느껴지고 있으니 말이다. 얼마 안 있다간 정말 큰일이 나겠는데. 마냥 비를 기다릴 순 없으니 어떻게 해서든 풀잎! 풀잎을 찾아야겠다! 요즘처럼 아침, 저녁으로 날이 쌀쌀할 땐 풀잎에 이슬이 맺히곤 하니까.

으엇, 이건 뭐지? 커다란 달덩이가 더듬이에 포착되었다. 달덩이도 나를 발견했는지 얼굴을 내밀며 다가오고 있었다. 달덩이가 가까이 다가오면 올수록 거대한 그늘이 내 몸 위로 지어졌다. 뭐… 뭐지? 저… 잠깐만, 오지 마! 다가오지 말라구!

- 어…? 뭐야, 달팽이가 여기 왜 있어?

아악, 안 돼! 달덩이가 불쑥 내 몸을 들어 올렸다. 벽에 떨어지지 않으려 안간힘을 써봤지만 역부족이었다. 달덩아, 제발 부탁인데 나를 길바닥에만 버리지 말아줘. 우리 달팽이들 사이에서 두려워하는 것이 몇 가지 있는데 그중 하나가 바로 길바닥이다. 자칫하면 길바닥에 나 앉은 지 하루도 채 되지 않아 달덩이의 발에 짓밟혀 집을 잃게 되니까. 심할 경우 목숨을 잃게 되기도 하고. 생각이 꼬리에 꼬리를 물던 찰나 달덩이가 내 동그란 집을 손에 꼭 쥐고선 어디론가 쓱쓱 향하기 시작했다. 느낌상 길바닥에 나를 내놓진 않을 거란 생각에 잠시 안도의 숨을 쉬었다.

- 여기가 좋겠다! 그래, 앞으로 달팽이 너희 집은 여기야!

달덩이가 나를 놓아준 곳은 어느 작은 화분이었다. 이게 웬 떡! 풀잎이다! 화분 속엔 축축한 흙이 가득 있었다. 수북하진 않지만 내가 그토록 바라던 잔가지의 풀잎도 있었다. 살았다! 살았다구! 축축한 물기가 그리웠던 나는 급하게 흙 속을 기어 다녔다. 아, 이 눅눅한 기분 좋아. 너무 좋다구. 흙바닥을 기어 다닐 때마다 까슬까슬한 얇은 돌들이 몸을 긁어 댔지만, 이 정도는 적당히 견딜만했다. 그런데 대체 여기가 어디지. 더듬이를 기웃거리며 최대한 넓은 반경을 주시했다. 가만있어 보자, 저게 다 뭐야. 설마, 책?

- 여기 봐봐. 내가 길에서 주워온 달팽이야.
- 이걸 어디서 주웠어? 귀엽다.
- 아침에 나왔는데 요 앞 시멘트 벽을 기고 있더라고.

한 달 정도 이곳에 있어 보니 나름 이곳이 파악되기 시작했다. 처음 나를 이곳에 데려온 달덩이는 다름 아닌 작가인 듯했다. 아주 가끔 다른 달덩이들이 이곳에 찾아오곤 했는데 그때마다 나는 긴장의 끈을 늦추지 않았다. 며칠 전엔 몸에 얼룩이 가득한 고양이가 들어와 한참을 앉아있다 갔는데 어쩐지 내 자리를 위협하는 느낌이 들어 무섭게 느껴졌다.

- 어…? 없어졌다! 달팽이가 없어졌어! 어디 갔지?

드디어 달덩이가 나를 찾기 시작했다. 화분에서 탈출한 지 아마 보름쯤 되었을 것이다. 혹여나 달덩이의 눈에 띌까 봐 얼마나 하루하루 전력 질주하며 달려왔는지 모른다. 달덩아, 미안한데 나도 눈이란 게 있단다. 네가 보다시피 이 화분은 너무 좁아. 저 풀떼기는 먹어보니 내 입맛에 안 맞구. 그리고 여기에 오래 있어보니 나도 구경을 좀 해보고 싶어졌어. 아! 걱정하지 마! 네가 애지중지하는 책은 절대 훼손시키지 않을 테니!

- 아니, 화분에 있던 달팽이가 어디 간 거냐구!
- 화분에 없으면 여기 어딘가 기어 다니고 있겠지.
- 여기 어디? 으…싫어……. 징그러…….

저기, 잠깐만 달덩아. 징그럽다니. 나를 데려온 건 달덩이 너잖아. 섭섭하게시리. 아, 아니지. 그래도 네가 내 목숨을 구해줬으니 나도 답례 정도는 해야지. 달덩아, 지금부터 내가 하는 말 잘 들어. 앞으로 자기 전에 가끔씩 내 생각을 하도록 해. 달덩이들 사이에선 그런 말이 있다면서. 내가 기어 다니는 꿈을 꾸면 기다리던 일이 이루어진다는.

그래 달덩아, 이건 내 선물이야.

내 목숨 구해준 보답으로 머지않아 네 꿈속에 나타나 줄게. 기다리는 그 일 내가 이룰 수 있도록 도와주겠다는 말이야. 그러니 징그럽단 생각은 그만두고 하던 일이나 열심히 하렴. 알겠니?

난 가끔
하늘을 봐

때 이른 장마가 찾아왔다. 후두둑, 후두둑 무언가에 떠밀리듯 쏟아지는 빗소리를 듣고 있으니 처음 무지개를 보았던 날이 떠오른다. 부끄럽지만 나는 서른이 다 되어갈 무렵에야 진짜 무지개를 봤다. 세찬 비가 내리던 하늘에 묽게 피어난 일곱 빛깔 무지개를.

그날은 참 특이한 날이었다. 아침에 눈을 떴는데 눈꺼풀이 퉁퉁 부어 좀처럼 눈이 잘 떠지질 않았다. 지난밤 사랑하는 사람과 위태로운 통화를 하던 도중 왈칵, 눈물을 쏟아낸 탓이었다. 세찬 비를 퍼붓듯 한참을 시원하게 울다 잠이 들어서였을까. 퉁퉁 부은 눈 위로 무지개가 피어난 듯했다. 부은 눈을 억지로 뜨려다 여러 겹의 쌍꺼풀이 두서없이 지어져 버렸는데 그 모습이 마치 하늘에 떠 있는 무지개와 같다고 생각했다.

얼마 뒤 집 밖을 나섰는데 그날따라 하늘에서도 세찬 비가 내렸다. 당시 나는 아파트 단지를 돌아다니며 글쓰기 과외를 하고 있었다(그러고 보니 먹고 살기 위해 이런 저런 일을 많이 했다). 과외라는 일의 특성상 비가 내리는 날은 결코 좋은 날이 아니다. 비에 젖은 축축한 신발로 이 집, 저 집을 돌아다니는 것이 여간 불편한 일이 아니기 때문이다. 그렇게 몇 시간이나 아파트 단지를 배회했을까. 어젯밤 통화의 여파 때문인지, 젖은 신발 때문인지 한껏 눅눅해진 마음으로 다음 집을 찾아가다 무지개를 발견했다. 비가 갠 하늘에 뽀얀 무지개가 피어 있었다. 빨주노초파남보 선명한 색감에 매료되어 가던 길을 멈추고 한참을 바라보다 생각했다. 세찬 비가 내려야만 이 어여쁜 무지개를 볼 수 있는 거라고.

오늘처럼 비가 많이 내리는 날이면 어김없이 그날의 무지개를 떠올린다. 어릴 때 색연필을 바꿔가며 스케치북에 그렸던 무지개. 빛의 굴절, 반사, 연속적인 스펙트럼…. 마치 수학 공식을 외우듯 글로 외우던 무지개를 처음 마주했던 그날의 무지개를.

"난 가끔 하늘을 봐…."

오그라드는 말이지만 살아가는 데 꼭 필요한 말 같아 적어본다. 진짜 무지개를 보려면 스케치북도, 과학책도 아닌 하늘을 봐야 하니 말이다.

여름아 가지 마

조금만 걸어도 땀이 삘삘 나는 여름의 한복판에 서 있다. 내가 뿜은 뜨거운 열기를 다시 내가 다시 머금자니 이건 고문이지 않을까 싶을 정도로, 마스크를 쓰고 바깥을 걷는 건 쉬운 일이 아니다. 차라리 겨울이 왔으면 좋겠다는 생각이 머릿속을 꽉 채울 만큼 올여름은 정말이지 더워도 너무 덥다. 더위에 지쳐 잔뜩 인상을 찌푸리다 문득, 여름과 겨울 중 어느 계절이 더 싫을까 하는 생각이 들었다. 그래서 한번 이들이 싫은 이유를 나열해 보기로 했다. 우선,

여름은 덥다.

더워서 미칠 것 같다. 가만히만 있어도 힘이 쭉쭉 빠진다. 그래서인지 아무것도 하고 싶지 않은 극심한 무기력증에 빠진다. 장마철엔 이 증상이 더 심해진다. 비가 오니 습도는 하늘을 찌르고, 습한데 덥기까지 하니 불쾌 지수도 하늘을 찌른다. 샤워하고 옷을 입으려는 순간 다시 땀이 난다. 그래서 다시 샤워를 하고. 그리곤 또 땀이 나고. 비 오는 날 출근길은 생각하고 싶지도 않다. 버스를 탔는데 다리에서 축축함이 느껴진다. 누군가의 우산이 내 다리를 스쳤기 때문이다. 겨우 두 다리만 서 있을 정도로 꽉 찬 만원 버스에 우산까지 한 자리를 차지하니 그럴 수밖에.

겨울은 춥다.

추워도 너무 춥다. 찬바람에 따귀를 맞으면 정말이지 아무것도 하기 싫어진다. 모든 것을 전기장판 위에서 해결하려다 보니 만사가 다 귀찮아져 또다시 무기력증에 빠진다. 밤만 되면 수족냉증이 찾아와 잠을 이룰 수 없다. 손발을 꼼지락거리며 어떻게든 온몸에 피가 돌게 노력해 봐도 손끝과 발끝을 통하는 혈관이 꽉 막혀 있는 듯하다. 추위에 굳어버린 청바지도 한몫을 한다. 빳빳한 청바지가 다리를 스칠 때마다 살을 에는 기분이 드니까. 펑펑 눈이 내려 얼어붙은 도로 위는 또 어떻고. 잘못 발을 헛디뎠다간 전치 몇 주의 진단서를 받게 될지도 모른다. 참, 이를 어쩐담.

여름과 겨울, 싫은 이유를 나열하고 보니 우열을 가리기가 힘들다. 이젠 결론을 좀 내야 할 것 같은데. 그래야 이 글이 마무리될 것 같은데.

그나저나 오늘은 8월 7일, 절기상 입추라고 한다. 아니, 날이 이렇게 더운데 가을이 찾아왔다니. 그럼 이제 이 여름도 한 달이 채 남지 않았다는 건데…. 생각이 여기까지 미치자 놀라운 일이 벌어졌다. 막상 여름이 얼마 남지 않았다고 하니, 이제 곧 찬바람이 불어온다고 하니 아쉬운 마음이 드는 거다. 뜨거운 태양 아래

반짝반짝 빛나는 나뭇잎도, 뭉게뭉게 솜사탕같이 피어난 구름도, 발견하면 금방에라도 행운이 찾아올 것 같아 가슴을 뛰게 만드는 무지개도 얼마 지나지 않으면 더는 볼 수 없게 된다니. 이 예쁜 것들을 볼 날이 얼마 남지 않았다니. 불쑥 여름아, 가지 마! 가지 말라구! 힘껏 소리치며 멀어져 가는 여름을 잡고 싶어졌다. 당장에라도 손을 뻗어 붙잡고 싶어질 정도로 이 여름이 가는 게 아쉽게 느껴졌다. 그리곤,

드디어 이 글을 마무리 지을 수 있다는 생각에 황급히 핸드폰 메모장을 열어 다음의 글을 적기 시작했다.

내가 정말 싫어하는 건 겨울.
어쩌면 내가 사랑하고 있는지도 모르는 건 여름.
이토록 헤어짐이 아쉬운 건, 이건 분명 사랑이니까.

사랑이 사랑인지도 모른 채 흘려보냈던 지난날이 떠올랐다. 떠난 뒤에야 울렁이며 찾아오는 이 감정을 애

써 사랑이 아니라고 외면했던 어느 뜨거웠던 여름날이.

나의 첫사랑

.....(중략)

짝사랑도 첫사랑이 될 수 있을까.

첫사랑 이야길 해보자면 이렇다. 처음 누군가를 보며 좋아한다는 감정을 느꼈던 건 일곱 살 때였다. 지금도 생생하게 기억나는 생애 최초의 두근거림이었다. 그 친구만 보면 관자놀이가 욱신거려 머리가 어지러웠다. 혹여나 이런 마음을 들킬까 어디론가 도망치고 싶었다. 누군갈 보고 부끄러워 발그레해지는 마음이 그 때 처음 들었는데 절망스럽게도 그 친구는 내가 아닌 내 친구를 좋아했다. 그러니 나의 첫사랑은 짝사랑이었다고도 할 수 있겠다.

어쩐지 첫사랑을 짝사랑으로 기억하자니 억울한 마음이 들어 첫사랑의 기준을 다시 정해 보기로 했다.

1. 비교적 처음에 가까운 사랑.
('비교적'이란 말이 붙었으니 꼭 처음 사랑이 아니어도 된다)
2. 결국엔 이루어지지 않은 사랑.
(첫사랑을 떠올리면 애틋하고 아련했으면 하니까)
3. 가장 많이 울었던 사랑.
(나는 종종 울음의 양과 사랑의 양이 비례하므로)

다시 세운 기준에 의하면 나의 첫사랑은 새하얀 눈과 같은 사람이었다. 언제쯤 눈이 내릴까 싶은 마음에 늘 기다리게 되는 사람. 추운 줄 모르고 마냥 좋았던 사람. 가끔은 비처럼 내리는 눈 때문에 마음이 젖기도 했지만 그래도 떠올리면 늘 설레고 좋았던 사람.

처음 한 사랑이든, 내 멋대로 다시 정정한 사랑이든 누구에게나 첫사랑의 기억은 특별하다. 사실 그럴 만도 하다. 살면서 가장 멋지고 예뻤던 그때의 내 모습이 담겨있는데 그 기억이 어떻게 특별하지 않을 수 있을까.

어쨌든 좋아하는 가수의 노랫말을 빌려 멀리서나마 안부를 전한다. 나의 첫사랑, 행복하길. 아프지 말길. 누군가의 사랑 안에서 늘 따뜻하길.

우주에서
단 하나뿐인

만나야 할 사람은 어떤 방식으로든 만나게 되어있다. 이 문장을 한 단어로 표현하면 아마 '운명' 혹은 '인연'쯤이 될 것이다. 평소 좋아하는 단어가 몇 개 있는데, 그중 하나가 바로 '운명'과 '인연'이란 단어이다. 극심한 운명론자인 나는 내 주위를 맴도는 온갖 것에 운명, 인연이란 단어를 붙이며 살고 있다. 이를테면 이런 거다. 며칠 전 나의 부주의로 대략 2년간 함께했던 마우스가 고장 나고 말았는데 불쑥 이 마우스와 나와의 인연이 여기까지인가 싶은 거다.

어쩔 수 없이 새로운 마우스를 사기 위해 웹서핑을 하다가 자꾸만 내팽개쳐진 고장 난 마우스에 시선이 갔다. 그간 나와 손을 맞잡던 마우스를 떠나보내려니 미안한 마음이 들었는지, 급기야는 왠지 새 마우스가 수명을 다한 마우스보다 성능이 떨어지는 것 같은 생각이 들고야 말았다. 고작 마우스 하나 새로 사는 데에도 이렇게 마음을 써야 한다니.

인연에 대한 이야기를 조금 더 해볼까 한다. 화려한 스타일의 옷을 좋아하지 않는 내가 며칠 전 파란 바탕에 하얀 꽃무늬가 옷 전체를 휘감은, 나름 과감한 옷을 샀다. 최근 2002년에 방영한 「네 멋대로 해라」란 드라마를 봤는데, 극 중 여주인공 경의 스타일에 자꾸만 눈이 갔기 때문이다. 평소 드라마를 보면 극 중 인물에게 과몰입하는 편이라(주인공이 처한 급박한 상황이 왠지 내 일인 것만 같아 자주 마음이 아프다) 이번에도 극 중 여주인공 경에게 풍덩 빠져버렸다. 그나마 다행인 건, 비록 20년 전 드라마이지만 당시에도 지금의 나처럼 이 드라마에 빠져있던 사람들이 꽤 많았다는 것이다. 일명 '네멋폐'라 불리는 사람들(네멋폐. 네 멋대로 해라 폐인의 줄임말. 당시 이들은 실제 드라마 촬영지를 순례한 뒤 후기를 포털 카페에 공유하곤 했다).

어쨌든 나의 과몰입의 끝은 여주인공 경의 패션을 따라 하는 것으로 귀결되었고, 그렇게 홍대의 어느 빈티지 샵에 찾았다. 실은 이곳은 과거 인디밴드 키보디스트였던 여주인공 경이 밴드 멤버들과 합을 맞추던 연습실이었다. 나 또한 네멋폐의 일원답게 드라마 촬영지를 순례했는데 그렇게 찾아간 곳에 경의 패션으로 꽉 채워진 빈티지 샵이 차려져 있었던 것이었다. 역시나 나는 또 한 번 이건 운명이라 외치며 누군가의 손때가 묻어있는 옷 사이를 뒤적거렸다. 그리곤 얼마 지나지 않아 극 중 경이 입었을 만한 파란 바탕에 하얀 꽃 패턴의 쉬폰 블라우스를 골라 집었다. T는 처음 보는 나의 화려한 복장에 허허허 웃었고, 쑥스러워진 나는 당분간 이 블라우스가 나의 최애 블라우스가 될 거라 외치고는 소매 끝자락을 만지작거렸다. 빈티지 샵에서 옷을 구매하면 특유의 약품 냄새가 나는데 코끝을 자극하는 옷 냄새를 맡다 문득, 이 옷의 원래 주인이 궁금해졌다. 이 옷은 어떤 연유로 나에게 왔을까. 혹, 20년 전부터 '네멋폐'들이 이 옷을 돌려 입다 결국 나에게까지 온 건 아닐까 하는 말도 안 되는 상상을 하다 쿡쿡, 웃음이 났다. 어찌 됐건 이 꽃무늬 블라우스로 이어진 실체를 알 수 없는 옷 주인과 나 사이에도 이름 모를 인연이란 게 숨어있겠지.

그러고 보면 인연이라는 단어를 떠올릴 때면 늘 뒤따라오는 대상이 있다.

—

5년 전 일이다. 어느 펫샵에서 마치 무언가에 홀린 듯 갈색 푸들을 입양했다. 이름은 범이. 당시에도 변함없이 인연이란 말을 믿었기에 범이와 나는 우주가 맺어

준 인연이라 생각했다. 수많은 사람 중 내가, 수많은 강아지 중 범이가, 그러니까 우리가 이렇게 한 침대에서 서로의 온기를 나누며 잠이 든다는 건 인연이란 단어 외엔 그 어떤 단어로도 설명할 수 없다고 여겼다. 그러나 애석하게도 범이는 내게 온 지 일주일 만에 '홍역'이란 병으로 무지개다리를 건넜다. 아픈 강아지를 분양받았던 것이다. 며칠 뒤 슬픔과 분노에 가득 차 펫샵에 방문했는데 그곳에서 눈에 밟히는 또 다른 강아지를 만났다. 슬프고도 귀여운 눈을 가진 강아지. 얼마나 울었는지 강아지의 눈 밑엔 고동색의 눈물 자국이 굵게 그어져 있었다. 강아지는 마치 나의 슬픔을 알아차리기라도 한 듯 내 발밑에 앉아 연신 내 신발을 핥아주었다. 어쩐지 그 모습이 귀여우면서도 우습다고 생각했다. 내가 발걸음을 옮기면 종종종 쫓아와 이상하리만큼 내 신발 주변을 핥아댔으니 말이다. 펫샵 주인에게 이 아이에 대해 물어보니 이미 두 번의 파양 경험이 있다고 했다. 그 사이 몸집이 커져 더 이상 유리 케이지에 들어가지 못하는 상태가 되었다고. 그때 나는 또 한 번 인연이란 단어를 떠올렸다. 그리곤 냉큼 이 아이를 안아버렸다. 그리고 '향이'라는 이름을 지어주었다. 그렇게 향이는 나의 사랑스러운 가족이 되었다. 올해로 일곱 살이 된 향이는 나의 하나밖에 없는 동생이자 우리 엄마를 지켜주는 정신적 지주이다.

아주 가끔은 동그랗고 까만 향이의 눈을 들여다보다 범이의 형상이 스친다. 인연이란 게 정말 따로 있는 걸까 싶어서. 아무리 붙잡으려 애를 써도 떠나가는 존재와 예기치 않게 불현듯 찾아오는 존재 사이엔 어떤 이야기가 흐르고 있는 걸까. 이 모든 건 인연이라는 거대한 소용돌이의 흔적은 아닐까.

- 인연이란 말은 시작할 때 하는 말이 아니라, 모든 게 끝날 때 하는 말이에요.

좋아하는 영화 「동감」에 나온 대사를 곱씹으며 생각했다. 모든 게 끝날 때야 비로소 인연인지, 아닌지를 알게 된다면 과연 그 끝은 언제일까 하고. 생물학적으로 목숨을 다할 때를 말하는 걸까. 그렇다면 언젠가 향이가 떠나는 날이 오면 나는 그때를 끝이라고 여길 수 있을까.

운(運 옮길 운)명(命 목숨 명)

인간을 포함한 모든 것을 지배하는 초인간적인 힘. 또는 그것에 의하여 이미 정하여져 있는 목숨이나 처지.

한참 동안 두 단어의 의미를 살펴보다 운명이라는 말, 인연이라는 말은 함부로 쓰는 게 아니라는 생각이 들었다. 이 말 안엔 삶과 죽음, 그 어떤 단어로도 가늠할 수 없는 영원이란 의미가 내포되어 있으므로.

고장 난 마우스도, 새로 산 꽃무늬 블라우스도, 범이도, 그리고 향이도. 어쩌면 내 곁에 맴도는 모든 것엔 머물 시간이란 게 정해져 있는지도 모른다. 이들에게 내가 할 수 있는 것이라곤 하루라도 더 많이 사랑을 건네주는 것뿐이겠지. 곁에 있을 때, 들을 수 있을 때 우주에서 단 하나뿐인 나와 인연을 맺어주어 고맙다는 말을 전해주는 것. 내가 할 수 있는 건 아마도 그뿐이겠지. 이들이 영원이란 글자에 가까워지기 전에 어서 사랑을 건네주는 것.

범이

초콜릿 빛깔 꼬불이는 갈색 털. 두 발로 폴짝폴짝 뛸 때마다 보이는 핑크빛 뱃살. 그리고 '나 좀 여기서 꺼내주라.' 하고 말하는 너의 까만 눈.

범이 너를 처음 봤을 때 나는 운명이라고 생각했어. 투명 유리케이지 안에서 두 발로 벽을 쿵쿵 치며 안아달라고 조르는 너를 나는 그냥 두고 갈 수 없었거든. 갖고 싶었고, 내 사랑을 가득 담아 안아주고 싶었어.

맞아, 첫눈에 반한 거지, 너에게.

그렇게 너를 내 방에 초대했어. 작고 연약한 범이 네가 혹여나 다칠까 위험해 보이는 것은 죄다 버렸고, 딱딱한 투명 통에서 지냈을 네가 편히 쉴 수 있도록 푹신한 카펫이 깔린 집도 마련했어. 그렇게 시작된 너와 함께한 하루하루가 새롭고 신기했어. 아장아장 걸어서 내 품에 쏙 안기는 네가 기특했고, 새근새근 잠든 너를 보며 애틋하다 못해 슬픈 감정이 들기도 했어.

새벽 출근을 하는 나에게 밤새워 놀자고 떼쓰는 너인데도 사랑스러워 어쩔 줄 모르겠더라고. 그렇게 너와 밤새워 놀다 바닥에서 쪽잠을 자고 출근해도 나는 마냥 행복했어.

그러던 어느 날, 비가 내리던 날이었어.

그날은 처음으로 네가 예방접종을 하러 병원에 가는 날이었지. 첫 외출에 긴장한 너를 안고 빗길을 헤쳐 병원에 도착했어. 의사 선생님은 너를 보자마자 고개를 갸웃거렸고, 너의 온도를 재고 눈곱을 채취해 검사를 시작했어. 그리곤 말했어.

"이 강아지 키우신 지 얼마나 됐어요? 아픈 강아진 거 모르셨어요?"
"아프다니요? 밥도 잘 먹고, 건강해요."
"홍역이에요. 어린 강아지한테는 치명적이죠. 치사율 90%입니다. 얼마 못 살아요. 이 아이."

머리에 번개가 쳤어.
네가 아프대. 아픈 강아지래. 그리고 곧 나를 떠난대.
눈물이 하염없이 흘렀어.

그날 너를 병원에 입원시키고 혼자 집으로 돌아오는 길에 소리 내며 엉엉 울었어. 세찬 빗소리보다 내 눈물의 소리가 더 크게 느껴질 만큼 엉엉 울었어. 다시 차디찬 유리통 안에 갇혀 나를 애타게 찾고 있을 너의 까만 눈을 생각하니 가슴이 미어지는 것 같았어.

몇 시간 전까지 네가 갖고 놀던 장난감들, 너의 카펫 속 온기가 그대로인데 네가 곧 떠난다니. 믿을 수가 없어서 또 한참을 울었어.

가끔 네가 나의 인기척에도 놀라지 않고 잘 잘 때가 있었는데, 그게 아파서 누워있는 거라고 생각하지 못했어. 새벽마다 안아달라고 나를 깨웠을 때, 아파서 네가 잠 못 이룬다고 미처 생각하지 못했어.

너의 아픔을 빨리 알아차려 주지 못해서 너무나 미안해. 아직 너에게 해주고 싶은 것들이 많은데 다 해주지 못할 것 같아서 그것도 미안해.

그렇게 얼마 지나지 않아 무지개다리를 건넌 범이야,

오늘은 그날처럼 세찬 비가 와.

무지개를 건너며 폴짝폴짝 뛰어놀 범이 네 생각을 하니 기분이 좋아. 그곳에서는 밥도 많이 먹고 씩씩하게 아프지 말아야 해.

보고 싶어. 범이야.

쓰는 즐거움 2

오랜 시간 무언갈 애틋하게 여겨본 적이 있거나, 아끼던 것을 잃어 본 적이 있는 사람들은 대체로 글쓰기를 좋아하더라고요.

향이

향이는 말이죠, 제가 7년째 키우는 강아지예요. 안쓰럽게도 두 번 파양이라는 아픔이 있는 강아지죠. 강아지나 고양이를 키우는 분들은 공감하실 거예요. 이 작은 생명체가 얼마나 우리에게 많은 것을 가르쳐주는지요. 과장을 조금 보태면 인생을 가르쳐준다고도 할 수 있어요.

저희 강아지 향이에 대해 조금 더 이야기해볼게요. 향이는 태생적으로 착한 강아지예요. 아, 제 강아지라

더욱 그렇게 보이는 것도 있어요. 아무튼 향이가 어느 정도로 착하냐면요, 우선 낯선 사람이 무턱대고 만져도 짖지 않아요. 무서워서 오줌을 찔끔 쌀 때는 있지만요. 가족들이 밥 먹을 땐 얌전히 식탁 밑에 엎드려있고요. 배변 활동은 한 치의 오차 없이 칼같이 한답니다. 소변 한 방울도 용서할 수 없는지 매번 최대한 자세를 낮춰 배변 활동을 해요. 가끔 뭘 잘못 먹었는지 속이 안 좋을 때도 있는데 그럴 때마저도 이불에 토하지 않아요. 울렁거리는 속을 겨우 참아내며 잽싸게 이불 밖으로 나가곤 하죠. 세상에 완벽한 존재는 없듯 이렇게 착한 우리 향이도 아주 가끔 말썽을 피워요. 워낙 착해서 자주는 아니고, 아주 가끔이요. 그러니까 아주 가끔 우리 향이는요, 쓰레기통을 뒤적거려요. 그냥 뒤적거리는 정도가 아니라 집에 사람이 없는 틈을 타 쓰레기통 안에 있는 온갖 잡동사니를 거실에 늘어놓죠. 그날도 향이가 말썽을 부렸던 어느 날이었을 거예요. 이 이야기는 엄마로부터 전해 들은 이야기예요.

엄마가 퇴근하고 집에 왔는데 온 집안에 쓰레기 냄새가 진동했대요. 향이는 이미 본인의 잘못을 눈치챘는지 제 침대 밑으로 피신해 있었고요. 엄마는 향이를 혼내기 위해 만반의 준비를 했고, 향이는 그런 엄마가 무서워 잔뜩 겁먹은 채 침대 밑에서 눈만 끔벅거리고 있었대요. 그렇게 얼마의 시간이 흘렀을까요. 문제가 생겼어요. 향이가 침대 밑에서 나오지 않는 거예요. 화가 누그러진 엄마가 이제 그만 나오라며 아무리 향이를 불러도 침대 밑에서 웅크린 채 나오질 않는 거예요. 자기 딴에는 쓰레기를 뒤질만한 이유가 있었던 건지, 아니면 어쩌다 한 번 실수한 건데 마음을 몰라주는 엄마가 야속했는지 향이의 속사정은 아무도 모를 일이죠.

그날 밤 엄마와 향이는 각방을 쓴 채 밤을 맞이했대요. 아마 향이를 키우고 처음 있는 일이었을 거예요. 엄마 냄새를 맡으며 자는 걸 좋아하는 향이가 각방을 자처한 것은요. 캄캄한 밤이 되자 향이는 슬그머니 침대 밑에서 나와 거실 쇼파에 웅크린 채 잠을 잤대요.

엄마 역시 그런 향이의 태도에 서운하고 화가 났다죠. 해가 동트기 두어 시간 전이었을까요. 부스럭부스럭 인기척 소리가 났대요. 드디어 향이가 엄마 품에 찾아온 거예요. 엄마는 그런 향이를 모른 척 안아줬고, 그렇게 둘은 서로를 용서했대요.

다음 날 아침 엄마는 제게 전화를 걸어 전날 밤 일어난 일을 쏟아냈어요. 쥐똥만 한 게 뭘 안다고 그랬을까 싶다가도 엄마랑 투닥투닥 잘 지내는 향이를 상상하니 귀여워 죽겠더라고요. 참 이상한 건 그날 밤 저 역시 T와 처음으로 각방을 쓰고 말았다는 거예요. 향이가 쓰레기통을 뒤지는 것과는 비교가 안 될 만큼 사소한 이유로요. 별것 아닌 일에 우리는 서운했고, 서운한 마음을 이겨내지 못해 따로 자고 말았죠. 씩씩거리며 잠을 청한 후 몇 시간이 흘렀을까요. 빗소리에 잠에서 깼는데 불쑥 향이 생각이 났어요. 캄캄한 밤 서운한 감정을 누르고 잠든 엄마를 찾아가던 쥐똥만 해가지구 아무것도 모르는 향이 생각이요. 그리곤 '아…' 탄식이 흘러

나왔어요. 하물며 향이도 누군가를 이해하고 먼저 손을 뻗는데, 그에 비해 저는 아직도 한참 많이 모자라다는 생각이 들었거든요. 그래서 어떻게 했냐고요? 향이처럼 저도 T를 찾아갔어요. 웅크린 채 자고 있는 그의 뒷모습을 보니 마음이 애잔해지더라고요. 그리곤 모른 척 그가 덮고 있는 이불 속으로 제 몸을 누였어요. T는 그런 저를 모른 척 안아주더군요. 그렇게 우리는 서로를 용서했어요.

까만 눈을 깜빡이며 언니 생각에 빠져있을 향이 덕분에 오늘도 전 넘어지지 않고 살아갈 수 있어요.

향이는 제게 어떤 존재인 걸까요?

약자

더 많이 사랑하면 약자가 된다고 하잖아.

그런데 나는 이 말을 들을 때마다 억울한 마음이 들어. 내가 더 많이 사랑하는 것도 서러운데 약자까지 되어야 한다니.

이건 좀 너무하잖아.

그래서 앞으론 이렇게 받아들이기로 했어. 더 많이 사랑할수록 나는 더 좋은 사람이 되는 거라고.

나는 말이야,

내가 더 많이 사랑한다는 이유로 약자가 되지 않을 거야. 기다리고, 이해하고, 안아주는 이유는 내가 약자여서가 아니라 너로 인해 내가 더 좋은 사람이 되었기 때문이라고 생각할 거야.

더 많이 사랑할수록 좋은 사람이 된다고 믿어야 두려움 없이 너를 사랑할 수 있을 것 같아서 너를 사랑할수록 약자가 되어간다는 생각은 이쯤에서 거두기로 했어.

좋아하는 것과
사랑하는 것

합정동을 **좋아한다**. 합정동 5번 출구엔 카페거리가 있는데 도로변에 벚나무가 무성하게 줄지어져 있다. 워낙 길게 줄지어져 있어서 벚꽃이 만개할 즘이면 나는 어김없이 이곳에 찾아 벚꽃 구경을 즐긴다. 내 기준엔 사람들로 복작복작한 여의도보다 한산한 이곳이 벚꽃을 즐기기에 더 좋은 장소이다. 단풍이 드는 가을은 또 어떻고. 알록달록 빨갛게 물든 단풍잎으로 둘러싸인 합정동 카페거리는 그야말로 **사랑이다**. 조금 더 날이 쌀쌀해지면 바스락, 바스락

밟을 때마다 온몸으로 가을을 느낄 수 있는 낙엽도 즐길 수 있다. 물론 이제는 사람들에게 꽤 알려진 곳이지만, 내가 처음 알게 되었던 2014년 이곳은 아기자기한 예쁜 카페가 곳곳에 숨어 있는 아주 조용한 동네였다.

이십 대 중반, 취업 준비생이었던 나는 엄마 카드를 들고 매일 아침 합정동 카페거리로 나섰다. 당시 나에게 평일 아침 이 카페거리는 더없이 소중한 곳이었다. 마치 내가 이 동네 전체를 빌리기라도 한 듯 거리는 한산했고 따뜻했다. 유유히 아침 산책을 즐기다 보면 닫혀있던 가게가 하나, 둘 열리기 시작했는데 그러면 나도 슬슬 마음에 드는 카페를 골라 자리를 잡았다. 그렇게 커피 한 잔을 시키고 책도 읽고, 입사 지원서도 쓰며 무려 다섯 시간 정도를 한곳에서 머물렀다(지금 생각하면 카페 주인께 참 죄송하고 감사하다). 집으로 돌아가는 길엔 종종 자주 가는 옷 가게에 들렀는데, 자금 사정이 좋지 않았던 나는 늘 눈으로만 쇼핑을 즐겨야 했다. 결제를 하면 엄마에게 바로 문자가 전송되니 마음

놓고 무언가를 살 수 없었다. 그럼에도 꾸역꾸역 옷 가게에 들러 구경을 했다. 유행하는 옷을 구경하는 것만으로도 취업 준비로 쌓인 스트레스가 해소되곤 했으니까. 어쨌든, 나에게 합정동은 위태롭지만 한없이 맑았던 나의 이십 대가 담겨있는 장소이다.

요즘에도 나는 마음이 답답해질 때면 합정동 카페거리를 찾는다. 갈 때마다 새롭게 생긴 상점들이 눈에 띄지만 다행히 내가 가던 옷집은 여전히 자리를 버티고 있다. 이제는 반가운 마음으로 그곳에 들르는데 달라진 점이 있다면 더 이상 눈으로만 쇼핑을 즐기지 않는다는 것이다. 며칠 전에도 청바지 하나를 구매했는데 그렇게 행복할 수가 없는 거다. 입자마자 마치 나를 위해 만들어진 옷이라는 듯 두 다리를 착 감싸는 안락함에 조용히 지갑을 열었다. 나는 쇼핑을 좋아하는 편이다. 매년 유행하는 옷을 그냥 지나칠 수 없어 하나, 둘 사다 보니 옷장엔 꽤 많은 옷이 쌓였다. 그런데도 왜 매일 입을 옷이 없다고 느껴지는 건지. 왜 새로운 옷을 보면 사고 싶어 안달이 나는 건지. 매년 S/F, F/W 패션 트렌드를 찾아보는 일은 어느새 나의 작은 취미가 되었다. 이렇게 쓰고 보니 내가 마치 옷을 굉장히 잘 입는 사람처럼 보이는데, 또 그건 아니다. 옷을 **좋아하는** 것과 잘 입는 건 다른 거니까. 꼭 **좋아하는** 걸 잘할 필요는 없으니까.

이 외에도 내가 **좋아하는** 것들이 꽤 있다. 독서, 커피, 카페, 음악, 영화, 드라이브, 꽃, 동물, 혼자 있는 시간, 그리고 글쓰기. 아주 잠깐 떠올렸는데도 이렇게나 많이 나열한 걸 보니 나는 참 **좋아하는** 게 많은 사람인 듯싶다. 실은 무언 갈 **좋아하는** 건 그리 어려운 일이 아니다. 내 기준에서 **좋아한다**는 말의 의미는 누가 시키지 않아도 그걸 하고 또 그걸 하는 내 모습이 좋은 것인데, 이게 참 별 게 아니기 때문이다. 사람을 **좋아하는** 것도 마찬가지이다. 특별한 목적이 있지 않은데, 누가 시키지도 않았는데 누군가를 만난다면. 또 그 사람과 함께 있을 때의 내 모습이 좋다면, 그것만으로도 충분히 나는 그 사람을 **좋아한다**고 믿는다. 그래서인지 나는 사람을 쉽게 **좋아하는** 편이다. 물론 대개 **좋아함**에서 그치는 사람이 많지만 말이다. 어쨌든 정리하자면, 나에겐 **좋아한다**는 말은 참 가볍고 쉬운 말이다.

언젠가 한 번은 이십 대 중반의 아는 동생에게 뭘 좋아하느냐고 물었더니 우물쭈물 대답하지 못하는 걸 보고 안타까운 마음이 들었다. **좋아한다**라는 단어에 너무 많은 책임감을 느끼고 있어서인지 급기야는 딱히 **좋아하는** 게 없다고까지 말하는 동생을 보며 마음이 무거워졌다. 꼭 **좋아하는** 것을 잘해야 하는 게 아닌데. 뭔가를 **좋아한다**고 세상 사람들이 그것에 대해 얼마나 아느냐고 따져 묻는 게 아닌데. 왜 이렇게 **좋아한다**는 것을 어렵게 느끼는 걸까.

물론, 사랑은 좀 다르다. **사랑한다**는 감정은 **좋아한다**는 감정이 쌓이고 쌓여 눅진해진 상태라고 할 수 있는데 이를 위해서는 책임이 따라야 한다. 그 대상을 어느 정도 잘 알아서 때론 누군가에게 이렇다 하고 설명할 수 있을 정도도 되어야 하고. 그러니까 **좋아한다**와 달리 **사랑한다**라는 표현을 쓰기 위해선 시간과 노력이 필요한 것이다.

이 둘을 명확하게 구분하지 못했던 어린 날에도 나는 **좋아한다**는 말과 달리 **사랑한다**는 말은 잘하지 못했다. 사랑을 모르던 아주 어린 나이에도 이상하리만큼 이 말이 쉽게 나오질 않았다. 눈앞에 높은 허들이 놓여 있기라도 하듯, **사랑한다**는 말 앞에만 서면 몇 번이나 호흡을 가다듬어야 했으니까. 누가 시킨 것도 아닌데 왜 이렇게 이 말이 힘든 건지. 연인에게 꼭 이 말을 전하고 싶을 땐 침을 꿀꺽꿀꺽 삼켜가며 겨우 이 말을 꺼내곤 했다. 물론, 어느 날엔 도무지 입 밖으로 나오질 않아 대화를 이리저리 회피하기도 했지만. 아마 나는 무의식적으로 사랑이란 단어에 무거운 책임감이 따른다는 사실을 알고 있었나 보다.

결론은 이렇다.

이 세상 사람들이 **좋아한다**와 **사랑한다**의 의미를 헷갈리지 않았으면 좋겠다는 것.

때론 쉽게 **좋아한다**고 말할 수 있었으면 좋겠고
때론 너무 쉽게, 너무 가볍게
사랑한다고 말하지 않았으면 좋겠다.

그런 의미로 나는 글 쓰는 일을 참 많이 **사랑하고 있다**.

울컥

사랑한다는 말을 입안 가득 머금다

불쑥 내뱉어진 아무런 말.

싫어하는 것들을 지워가다 보면

1.

뽀드득, 뽀드득 눈 밟는 상상을 했다. 알록달록 영롱한 불빛을 내뿜는 트리. 귓가를 포근히 적시는 캐럴 소리. 생글생글 빨간 딸기가 올라간 생크림 케이크. 다디단 내음 가득한 레드 와인. 그리고 사랑하는 이를 떠올리며 적어 내려간 빨간 카드.

왜인지 내 상상 속 겨울은 언제나 따뜻하기만 하다. 극도로 겨울을 싫어하는 나임에도, 조금만 찬 바람이

불어도 고개를 휙휙 저으며 싫어! 겨울 저리 가! 라며 소리치는 나임에도 말이다. 할 수만 있다면 겨울잠을 자는 여느 동물 뒤를 졸졸 쫓아가 푹 자고 일어나면 겨울이 끝나있기를 바랄 정도로, 나는 겨울이 싫다. 유난히 추위를 많이 타는 체질 탓에 매년 겨울이 오면 올해 겨울은 또 어떻게 버티지… 하며 막연한 걱정을 앞세운다. 더군다나 겨울만 되면 마음이 울적해져 자꾸만 울고 싶어지는데(평소에도 픽 하면 우는 타입인데, 겨울엔 이 증상이 더욱 심해지니 가족을 비롯한 주위 사람들에게 늘 미안한 마음이 든다) 누군가는 이런 현상을 '계절성 우울증'이라고 한다. 무어라 진단받으면 진짜 그 병을 얻게 될 것만 같아, 매년 이 사실을 회피하며 겨우 겨울을 나고 있다. 어쨌든 올해도 어김없이 겨울이 찾아왔다.

창밖에는 펑펑 함박눈이 내리고 있다. 얼마 만에 보는 함박눈인지 싶어 모자에 장갑, 털 부츠를 신고 눈을 맞으러 나갔다. 두꺼운 점퍼 사이를 비집고 들어오는 찬 바람에 역시나 이 추위가 너무나 싫어 몸을 부들거렸다. 꾸린 지 얼마 안 된 작업실 앞에도 제법 눈이 쌓였다. 큰 빗자루를 손에 쥐고 바닥에 쌓인 함박눈을 힘껏 쓸어내다가 허허허 웃음이 났다.

올해는 유독 눈 구경을 많이 해서인지, 나만의 온기로 가득 찬 작업실을 꾸려서인지 이 겨울이 싫지만은 않다는 생각이 스쳤기 때문이다. 급기야는 뽀드득뽀드득 문 앞에 쌓인 하얀 눈을 밟다가 낭만으로 가득 찬 이 겨울, 참 좋다는 생각마저 하고야 말았다.

2.

라식수술 일정을 잡았다. 겁이 많아 미루고 또 미뤘던 수술이었는데 결혼을 앞둔 이상, 더는 미룰 수 없었다. 어릴 때부터 눈이 나빴던 나는 외출을 할 때면 렌즈를 끼고 다녔다. 집 앞 슈퍼에 갈 때조차 안경이 아닌 렌즈를 끼곤 했는데 그 이유는 단순했다. 두꺼운 안경알 사이로 비치는 콩알만 한 내 두 눈이 싫었기 때문이다. 아무리 화장으로 가리고 또 가려봐도 콩알만 해진 눈은, 안경테 사이로 요상한 곡선을 그리는 얼굴형은 내가 봐도 참 못난 얼굴이었다.

결혼이란 사랑으로 모든 걸 감싸 안는 것이라고 하지만 안경 쓴 내 모습은 사랑으로도 극복하기 어려운 문제였다. 그래서 결국, 결혼을 6개월 앞두고 라식수술을 예약했다. 수술 당일 두 주먹을 불끈 쥐고 수술대에 몸을 누였다. 딸각거리는 소리와 함께 잠시 눈앞이 캄캄해졌고 두려움에 온몸이 굳어져 또 한 번 주먹을 불끈 쥐었다. 손바닥에 손톱자국이 짓게 남을 정도로 있는 힘껏 주먹을 쥐어보았다. 다행히 수술은 무사히 끝났고 꽤 좋은 시력을 얻게 되었다. 그러나 여전히 나는 안경의 늪에서 벗어날 수 없었다. 약해진 눈을 보호하기 위해 보호안경 착용을 권고받았기 때문이다. 누군가 피할 수 없다면 즐기라고 했던가. 결국 현재 나는 함께 사는 이에게 안경을 낀 채 무언가에 몰두하는 모습을 위풍당당하게 보여주고 있다. 늦은 밤 창가에 비친 안경 낀 내 모습을 바라보다 허허허 웃음이 났다.

도수 없는 안경을 쓴 덕분인지, 이런 모습조차 사랑해줄 거란 함께 사는 이를 향한 믿음 덕분인지 안경 쓴 내 모습이 싫지 않다는 생각이 들었기 때문이다. 급기야는 이것도 나름 내추럴하고 좋은데? 라며 핸드폰 카메라 어플을 켜 사진 찍을 생각마저 하고야 말았다.

추운 겨울도, 안경 낀 못난 내 모습도, 나이를 먹는 일도, 무섭기만 했던 고양이의 눈빛도…

어쩌다 보니 싫어했던 것들을 하나, 둘 지워가며 살고 있다. 문득 변해가는 나를 보며 생각했다. 싫어하던 것들에 관대해진 내 모습을 발견하는 것, 어쩌면 이 또한 행복의 기준은 아닐까 하고.

뿌옇게나마 행복이 내 주위에 찾아온 것 같아서, 드디어 나에게도 행복이란 게 말을 걸어주는 것 같아서 안경 너머로 차오르는 눈물을 연신 닦아댔다. 창밖에는 매서운 칼바람이 불어왔다.

TV에선 오늘이 올해 들어 가장 추운 겨울이라고 했다.

언제부터인가
새 친구를 사귀는 일이 힘들어졌다

언제부터인가 새 친구를 사귀는 일이 힘들어졌다. 연애를 오랫동안 쉬면 '연애 세포'가 줄어든다고 하던데, 요즘 나는 굳이 표현하자면 '관계 세포'가 줄어들고 있는 듯하다. 사람들과 관계를 맺는 일, 친구를 사귀는 일이 어렵게 느껴지고 있으니 말이다. 성인이 된 이후, 정확하게 말하면 내 힘으로 돈을 벌게 된 이후론 유난히 새로운 친구를 사귀기가 부담스러워졌다. 누군가와 썸이란 걸 탈 때 보통 이런 생각 하지 않나. 내가 이렇게 행동하면 상대가 나를 부담스러워하진 않을까 하는 생각. 그런데 요즘 나는 새로운 친구를 사귈 때면 이와 비슷한 생각을 한다. 괜히 내 마음만 앞서갔다가 상처받진 않을까 두려운 마음이 드는 것이다. 나름대로 연애엔 자신 있다고 생각하던 내가 어쩌다 친구를 사귀는 일로 깊은 고민을 하게 된 건지.

생각해보면 아주 어릴 땐 친구를 사귀는 일이 어렵지 않았던 것 같다. 그저 느끼는 대로 감정을 표현했고 그걸 친구도, 나도 아무렇지 않게 받아들였었는데. 이제는 애정 어린 말을 건네면 오글거려 싫어할까 두렵고, 고개를 가로젓는 이야기를 건네면 사이가 멀어질까 두려워졌다. 관계를 차곡차곡 쌓지 않은 사이에선 더욱이 마음을 표현하기 어려워졌고. 누군가와 어떻게 가까워져야 하는지, 언제부터 마음을 터놓고 이야기해도 되는 건지 도무지 풀기 힘든 숙제만 남아있을 뿐이다.

최근 성격유형 검사인 MBTI 검사를 했다. 검사 결과 나는 재기발랄한 활동가 ENFP 유형이었는데 변덕스럽고 틀에 박힌 것을 좋아하지 않는다는 특징으로 미루어 보아 제법 그럴싸하단 생각이 들었다. 어디에선가 본 기사에 의하면 MBTI를 비롯한 성격유형 검사가 유행인 이유가 사람들이 점점 타인보단 '나'에게 더 집중하기 때문이라고 하던데……. 코로나바이러스가 전 세계를 덮친 이후, 우린 점점 함께라는 단어를 마음에서 지워가고 있는 듯하다. 타인에게 피해를 주는 것도 싫지만, 타인으로 인해 피해를 보는 건 더더욱 싫은 상태. 좋아하는 사람과 카페에서 마음 편히 차 한잔하기 어려운 지금 이 시대를 어떻게 설명해야 할까. 불현듯 앞으로 다가올 날들이 두려워진다.

며칠 전 꽃시장에 들러 만 원어치 장미 한 다발을 사 왔는데 이틀을 못 가 잎이 메마르기 시작했다. 고개를 푹 떨군 채 메말라 있는 장미를 바라보다 불쑥 화가 났다. 시간이 흘러도 한결같은 모습으로 있어 주는 게 그렇게 힘든 일인가 싶어서. 누군가 친구란 어떤 존재냐고 물으면 나는 한 치의 망설임도 없이 '한결같은 모습으로 자리를 지켜주는 사람'이라 대답하곤 했는데, 얼마 못 가 시들어버린 꽃을 보다 내 곁에 머물던 친구들도 언젠간 이 꽃처럼 시들어버릴까 두려워진 것이다. 가만 보면 지금 나는 인간관계에 상당한 결핍을 느끼고 있는 듯하다.

좋은 사람을 만나기 위해선 나부터 좋은 사람이 되어야 한다는 말이 떠올라 생각을 다시 고쳐매고는 나를 돌아보기로 했다. 그리곤 생각보다 더 빨리 지금의 상황을 객관적으로 바라볼 수 있었다. 돌이켜보니 나 또한 가까운 이들에게 메마른 잎을 자주 보여주는 사람이었다. 언제부터인가 굳이 노력하면서까지 관계를 유지하고 싶지 않았고, 될 수 있으면 그런 관계는 피하고 싶어 했으므로. 만물을 짝사랑한다던, 받는 것보다 주는 것을 사랑한다고 외치던 내가 언제 이렇게 변해버린 건지. 나부터 한결같은 사람이 아닌데 누구에게 이를 바랄까. 한결같은 모습을 지켜내는 게 얼마나 어려운 것인지를 실감하며 '한결'이라는 단어의 사전적 의미를 찾아봤다. 그런데 놀랍게도 이 단어에는 꽤 진취적인 의미가 담겨있었다.

한결: 전보다 한층 더.

그러니까 한결같은 모습을 보인다는 건 어쩌면 전에 비하여 한층 더 좋은 모습을 보인다는 의미인지도 모른다. 이를 위해선 반드시 노력이 필요하겠지.

다시 말해 한결같은 사이, 전보다 한층 더 가까운 사이가 되기 위해선 부단한 노력이 필요한 것이다. 오글거릴지라도 너를 많이 아낀다는 말, 사랑한다는 말, 보고 싶다는 말을 입 밖으로 내뱉어야 하고 혹시 멀어질까 두려울지라도 서운하단 말, 그 길은 잘못된 길이라는 말을 용기 내어 꺼내야 한다는 것.

많이 어렵겠지만 노력해보고 싶다. 내가 정말 아끼는 사람들에게 한결같은 사람으로 남기 위해 애써 보고 싶다.

내가 사랑하는 사람들이 생글한 얼굴로 내 주위에 오래 피어있길 바란다면 최소한 꽃에 물을 주는 정도의 노력은 필요할 테니 말이다.

많이 아끼는
너로 인해

이 세상에서 가장 슬픈 일은 말이야. 바로 사랑의 대상이 그리움의 대상이 되는 거야. 보고 싶어 애타는 마음, 이걸 그리움이라고 하는데 네가 사라지고 나서야 그리움이라는 단어가 이렇게 아픈 단어라는 걸 실감했어. 너와 함께 그리움이라는 단어를 떠올리다가 누군가 내 마음에 망치질을 하는 것 같아서 황급히 생각을 거뒀어.

예고 없이 사라진 너를 생각하며 차라리 화가 났으면 좋겠는데 언제부턴가 그런 너를 떠올리니 그리움이라는 단어가 찾아오더라.

그리곤 생각했어.
어디서 무얼 하든, 네 마음만은 편했으면 좋겠다고.
아프지 않았으면, 웃는 날이 많았으면 좋겠다고.

손을 뻗으면 닿을 자리에 네가 있었을 땐 느끼지 못했는데 이렇게 잡을 수 없을 만큼 멀리 달아나 버리니 이제야 너의 존재를 실감해. 떠나고 나서야 이 모든 걸 깨닫게 된 내가 한없이 미울 때도 있지만 이렇게 나는 그리움을 배워. 기다림을 배워.

변함없이 자리를 지키는 것 역시 사랑의 한 형태라는 걸, 사랑과 그리움은 늘 같은 선상에 있다는 걸, 많이 아끼는 너로 인해 배워.

그때의 내가
그때의 너를 사랑했다

어느덧 삼십 대 중반이다. 평생 사랑에 연연하며, 사랑 때문에 울고 웃으며, 사랑을 온몸으로 붙들어 매며 살 것만 같았는데. 어느덧 나도 사랑이란 단어에 의연해지는 사람이 되고 말았다. 사랑하는 사람이 불쑥 아픈 말을 던져도 이 말이 그의 진심이 아니라는 것쯤은 잘 아는, 어느 평범한 삼십 대가 되었다.

돌이켜보면 사랑이란 단어를 온몸으로 맞이하던 이십 대 초반의 나는 참 많이 위태로웠다. 수화기 너머로 전해 오는 그의 고단한 하루를 감싸 안아주기엔 많은 게 모자란 사람이었다. 왜 연인인 나에게 그 힘듦을 공유하지 않느냐며 어린아이처럼 보채는 날이 많았으니 말이다. 그가 누굴 만나, 무엇을 하건 그에게 나는 항상 1순위이기를 바랐기에 자주 서운했고 자주 불안했다. 돌이켜 보면 과거의 나는 사랑이란 이유로 상대를 참 많이 힘들게 했던 것 같다.

이별을 대하는 자세도 별반 다르지 않았다. 사랑하는 사람과 이별하는 일이 나에게는 꼭 그 사람이 내가 사는 세상에서 더는 살지 않는 것처럼 느껴져 견디기 힘들었다. 이별에도 연습이 필요하다고, 몇 번의 이별을 경험하고 나면 이별도 사랑처럼 별거 아닌 게 된다던 누군가의 조언과는 달리, 나는 매 순간의 이별이 힘겨웠다. 그랬기에 늘 이번이 마지막이라고, 다시는 이별 따윈 하지 않겠다며 새로운 사랑을 찾아 나섰다. 같은 이별을 반복하지 않기 위해 지난 연인의 흠을 나열하고 혹시나 새로 만난 사람에게도 같은 흠이 묻어 있진 않을까 살피고 또 살폈다. 더 이상 사랑을 사랑만으로 하지 못하는 내가 때때로 낯설게 느껴졌지만 이 방식은 이별을 피하기 위해 내가 할 수 있는 최선이라 생각했다. 그러나 새롭게 찾아온 사랑에도 미처 예상하지 못했던 흠이 발견되었고, 그 흠에 나는 또다시 휘청이며 이별을 고민해야 했다.

- 왜 너로 인해 알게 된 많은 것을 네가 아닌 다른 사람에게 쏟아야 하느냐고.

이별의 순간, 지난 인연이 나에게 건넸던 이 말이 사랑 앞에 꽤 의연해진 지금에도 선명하게 남아있다. 사랑이란 게 정말로 그런 것 같아서. 서툴고 불안했던 그때의 사랑이 없었더라면 지금의 온전한 사랑도 없었을 테니까. 이별을 고민하며 잠 못 이루던 수많은 밤이 없었더라면 지금의 안녕한 밤 또한 찾아오지 못했을 테니까.

연인이란 이름으로 내가 사는 세상에 다녀갔던 이들에게 이제라도 이 말을 꼭 전하고 싶다. 사랑을 담기엔 많은 것이 모자랐던 그때의 나와 함께해줘서 진심으로 고마웠다고. 그때의 사랑 덕분에 나는 지금 이렇게나 안전한 사랑을 하고 있다고.

그러니까 연인에게
과거를 묻는 것 말이에요

그러니까 연인에게 과거를 묻는 것 말이에요. 이게 참, 어렵고 예민한 문제예요. 사랑하면 그 사람의 과거부터 현재까지 모든 걸 알고 싶어 하는 것, 그래서 지나간 연애가 궁금해지는 것. 제 생각에 이건 당연하다고 보거든요. 문제는 연인의 과거를 온전하게 이해하고 담아낼 수 있느냐에 있죠. 사실 저도 연인의 과거를 도저히 용납할 수 없었던 때가 있었어요. 연인의 눈, 코, 입. 가느다란 손가락, 포근한 품. 이 모든 게 다른 사람의 것이었다니. 생각만

해도 아찔한 거예요. 과거에 그가 오랜 연애를 했다는 사실을 알게 된 이후론 왠지 남의 것을 좋아하는 듯한 느낌마저 들더라고요. 참 못나게도 실제로 만나본 적 없는 누군가를 질투하고 있었던 거죠.

나이가 들어서인지, 저도 나름 과거란 게 생겨서인지 다행히도 이제는 사랑하는 사람의 과거에 집착하지 않아요. 가끔은 그의 서툴렀던 과거의 연애 이야기를 듣다가 '아, 이 사람을 그때 안 만나서 참 다행이다.'라는 생각마저 들죠. 한편으론 이 남자에게 진짜 사랑을 알게 해 준 이름 모를 그 사람에게 고맙다는 말을 전해주고 싶은 생각마저 들더라니까요?

생각해보면 이 모든 게 가능했던 이유는 사랑은 소유하는 것이 아님을 깨달았기 때문이에요. 이 사람의 과거도, 현재도, 앞으로 다가올 미래도. 언제부턴가 다 제 것이 아니라는 생각이 들었거든요. 연인으로서 제가 가진 자격이라곤 이 사람을 가장 가까운 곳에서 바라볼 수 있다는 것, 가장 가까운 곳에서 응원하고 안아줄 수 있다는 것. 그뿐인 거죠. 연인이기 이전에 한 사람으로서 이 사람을 바라보니 어쩌면 이 사람도 나를 만나기까지, 나만큼이나 참 많이 힘겨웠을 거란 생각이 들었어요. 할 수만 있다면 사랑 앞에 훌쩍이던 과거의 그에게 달려가 있는 힘껏 안아주고 싶어지더라고요.

누군가 열심히 가꾸어 놓은 사랑의 결실을 다른 사람이 아닌 제가 맺을 수 있어서, 탐스럽게 익어가는 이 사랑을 다른 사람이 아닌 제가 안을 수 있어서 이 사랑이 얼마나 감사하고 다행인지 몰라요.

마음의 온도를 측정해 주파수를 공유하기라도 한 걸까

몇 년간 해오던 라디오 작가 일을 잠시 쉬어가기로 했다. 첫 책을 내고 '누군가에게 내가 작가로 불려도 괜찮은가.'하는 생각에 자꾸만 마음이 쪼그라들 때쯤 우연한 기회로 라디오 작가 일을 시작했다. 처음 내가 함께한 프로그램은 주말 저녁에 방송되는 프로그램이었는데, 녹음으로 진행되는 방송이다 보니 따로 출근하지 않아도 되었다. 일주일에 한 번 내가 맡은 분량의 원고를 이메일로 보내면 되는 가벼운 업무였던 것이다(당시엔 증권회사에 다니고 있었으니

투잡으로 라디오 작가 일을 하게 된 셈이다). 대학교 때 버스 맨 뒷자리에서 성시경의 「음악도시」를 들으며 혼자 수줍어하던 기억이 생생한데 내가 라디오 작가가 되었다니. 큰돈을 버는 건 아니었지만 라디오 작가로 일하게 되었다는 사실만으로도 마음이 벅찼다. 글을 쓰며 돈을 벌고 있으니 이젠 당당하게 '작가'라고 불려도 될 것만 같아 더욱이 마음이 놓이기도 했고.

살다 보면 무언가 끼워 맞춘 듯한 일이 벌어질 때가 있다. 라디오 작가 일이 내게 그랬다. 비록 아르바이트 느낌의 일이었지만 내 글이 누군가에게 도움이 된다는 사실에 자주 마음이 충만해졌다. 그래서 더욱 욕심이 생겼다. 글 쓰는 일을 메인 직업으로 삼고 싶어진 것이다. 오랜 고민(생각해보면 그렇게 오래 고민한 것 같지도 않다. 뭘 믿고 그랬을까) 끝에 다니던 회사에서 나와 글과 관련된 일을 찾아다녔다. 그러나 늘 그렇듯 현실에는 넘어야 할 산이 참 많았다. 단돈 몇십만 원으로 한 달을 살아내야 했을 때, 그나마 하고 있던 라디오 프로그램이 종방을 맞아 백수가 되기 일보 직전에 다다랐을 때 또 한 번의 기회가 찾아왔다.

"여보세요."

- 작가님, 혹시 내일부터 방송국에 출근할 수 있어요?

"네? 갑자기? 왜요?"

- 사정이 생겨서 저희 프로그램 메인 작가님이 내일부터 못 나오시게 됐어요. 생방인데 당장 내일 원고도 없어서 지금 큰일이에요. 가능하면 원고도 써주시고 내일부터 출근 부탁드려요.

아니, 이게 무슨 일인가. 당장 내일부터 생방송 메인 작가 자리에 앉으라니. 나는 고작 아르바이트생일 뿐인데. 담당피디님의 다급한 목소리에 얼떨결에 알겠다며 전화를 끊고는 잠시 멍하니 서 있었다. 놀란 나머지 벌어지는 입을 애써 꾹 다물면서. 라디오 메인 작가는 막내 작가로 몇 년 동안 일해도 앉기 힘든 자리라던데. 나보고 당장 내일부터 그 자리에 앉으라니. 내가 과연 이 일을 해낼 수 있을까?, 혹시 방송을 망쳐버리면 어쩌지? 따위의 걱정이 들려던 찰나 다급했던 피디님의 목소리가 생각났다. 지체할 시간이 없었다. 곧장 노트북을 켜 원고 작업을 시작해야 했다. 그동안 아르바이트식으로 짧게 써왔던 원고가 전부였기에 쓰면서도 과연 이렇게 쓰는 게 맞나 싶었지만 고민할 겨를이 없었다. 절망적이었던 건 하필이면 첫 회 원고부터 어려운 콩트를 써야 했다는 것이다.

콩트 대본이라니!
그건 어떻게 쓰는 건데!
아잇, 모르겠다. 그냥 쓰자!

내가 쓴 글이 정답이라고, 내가 재밌으면 된 거라며 꾸역꾸역 원고를 완성했다. 심호흡을 크게 한 번 하고 마무리한 원고를 피디님께 전달 드렸는데 웬걸 어떠한 피드백도 받지 못했다. 그러면 나는 재빨리 마음을 다시 싸매기 바빴다. '아무 말 없으니 내 원고가 방송에 나갈 정도는 되나 보다.' 하면서.

문제는 생방송을 겪어내는 것이었다. 첫 출근 날은 그야말로 대환장 파티였다. 라디오 작가는 생방송 중에 DJ가 원활한 진행을 할 수 있도록 프롬프트에 여러 가지 멘트를 적어주어야 한다. 헌데 나는 고작 흘러나오는 노래 제목 하나도 제대로 적지 못했다. 이상하게 손이 굳어 움직이질 않았다. 피디님은 다급한 목소리로 "작가님 뭐해요!!! 24분 15초!!! 광고!!"와 비슷한 느낌의 이야기를 쏟아냈지만 순간적으로 귀가 먹었던 것인지 아무것도 들리지 않았다. 멍하니 동상처럼 굳어져 있기만 했을 뿐.

방송을 마치고 집으로 돌아가는 길엔 내가 하등 쓸모없는 인간인 것만 같아 자괴감에 빠졌다. 슬프게도 그로부터 무려 한 달여 동안 나는 그다지 쓸모 있는 인간이 아니었다. 경험해보니 생방송에 투입되는 작가는 순발력이 좋아야 했다. 갑작스러운 순간에도 흥분하지 않는 침착함도 필요했다. 그러나 나는 그런 사람이 아니었다. 아무리 연습을 많이 해도 처음 맞이하는 현장에 서면 쉽게 긴장하는 스타일이었다. 축구를 보다가 우리 팀 선수가 상대 팀 골대 근처에서 공을 잡기라도 하면 심장이 터질 것 같아 소리를 버럭버럭 지르는 스타일이랄까. 다행스러운 점은 그나마 나는 멘탈이 좋은 편이어서 자괴감으로부터 스스로를 자주 구해내곤 했다는 것이다. 그렇게 허우적거리는 나를 꺼내어 햇볕에 말리기를 몇 번이나 반복했을까. 어느덧 생방송에 적응하기 시작했고 머지않아 온전히 라디오라는 매체를 즐기게 되었다.

마음 놓고 라디오를 즐기니 라디오만큼 따스한 공간이 또 없었다. 마음의 온도를 측정해 주파수를 공유하기라도 한 걸까. 한없이 너그럽고 따뜻한 청취자분들과의 소통은 새내기 메인 작가에게 큰 힘이 되곤 했다(당시 서툴고 부족한 부분이 많았음에도 마음이 너그러우신 청취자분들께서 많이 응원해주셨다). 처음 메인 작가로 맡은 프로그램이 주 7회 방송이다 보니 매일 원고와의 전쟁에 시달려야 했다. 특히 라디오 오프닝은 청취자들에게 안부를 묻고, 여러 가지 생각할 것들을 전해주는 글이어야 하는데 그것도 한두 번이었다. 매일 다른 이야기를 건넨다는 것 자체가 쉽지 않은 일이었다. 당시 원고 작업 외에도 게스트 섭외, 당첨자 선물 발송 등 홀로 여러 일을 도맡아 하다 보니 매일 숨을 헐떡이며 살아야 했다.

그럼에도 돌이켜 보면 생방송 라디오 작가로 일하던 그때의 기억은 참 행복한 기억으로 남아있다. 매일 같은 시간에 변함없이 찾아주시는 분들이 있었기에, 오늘도 잘 살아내고 있다며 서로의 마음을 토닥이던 분들이 있었기에 힘든 나날도 버틸 수 있었다(내가 맡은 생방송 프로그램이 종방된 이후, 지금까지도 그때의 청취자분들과 SNS에서 활발히 교류 중이다. 가능하다면 한없이 따뜻한 그들의 일상에 오래도록 머물고 싶다).

세상이 많이 변했다지만, 라디오는 이제 옛날 매체라고들 하지만 그래도 나는 라디오의 힘을 믿는다. 의

심 없이 무언가를 베풀고, 대가 없이 서로의 안녕을 응원하는 공간. 이곳에서는 어느 누구도 하찮지 않은 그런 공간. 언젠가 또다시 라디오 작가로 복귀하는 날이 온다면 그땐 내가 조금 더 쓸모 있는 작가였으면 좋겠다. 그러면 그때 내가 받았던 귀한 마음들 어떻게든 돌려 드려야지.

미련을 두고 살아간다는 것

운전하다가 T가 이런 말을 했다.

- 작가는 말이지, 삶에 미련을 남기는 사람들이야.

엇, 잠깐! 이런 좋은 문장이 있나! 이건 무조건 메모장에 저장해야 해! 언젠간 이 문장을 주제로 하나의 글을 완성하리라 다짐하며 쓱쓱, 메모장에 T가 말한 문장을 적었다. 언제부터인가 T의 입에서 흘러나오는 이야기를 메모장에 적는 일이 습관이 되었다. 같은 말이라도 유독 내가 좋아하는 사람, 내가 아끼는 사람의 입에서 나온 말은 더욱 특별하게 느껴지곤 한다. 마치 같은 제품도 알록달록 예쁜 포장지에 포장되어 있으면 괜히 더 눈길이 가고 사랑스럽게 여겨지는 것처럼 말이다. 누군가 나에게 요즘 어디서 글감을 얻느냐고 묻는다면, 나는 주저 없이 사랑하는 사람의 입술에서 글감을 채득한다고 말할 것이다. 동그란 입술 사이를 비집고 나오는 그의 말은 언제고 사랑의 낱말이 되어 나의 마음에 찾아들었다. 아무튼, 이 글은 며칠 전 T로부터 얻게 된 '작가는 미련을 남기는 사람'이라는 문장에 대한 글이다.

책을 만드는 일을 하면서(현재 책 편집자로도 일하고 있다) 다양한 작가님들을 만나고 있다. 보통 나는 글 편집을 하기 전 가능하면 한두 번 정도 작가와 대면할 자리를 마련한다. 그 이유는 이렇다. 사람마다 표정, 말투, 작은 몸짓 하나에 따라 풍기는 느낌이 다 다른데 대부분 이러한 특징이 글에 고스란히 담겨있기 때문이다. 하여, 쓰는 사람의 특징을 조금 더 명확히 파악하고 원고 편집에 들어가면 아무래도 그 사람만의 색깔을 더욱 확실하게 책으로 표현할 수 있지 않을까 싶어 종종 작가님들께 티타임을 요청하고 있다. 물론 지극히 내 개인적인 생각이지만 말이다.

그리하여 여러 작가님과 티타임을 가졌는데, 재밌는 사실을 발견했다. 바로 작가들은 각자 자기만의 고유한 특징을 가지고 있다는 것이었다. 보통 작가를 떠올리면 왠지 서정적이거나 이지적인 느낌, 혹은 온화한 느낌을 떠올리지만 실상은 그렇지 않더라. 나만 해도 이지적인 느낌보단 허물렁한 느낌에 더 가깝고, 차분할 때도 있지만 누군가에겐 한없이 들뜬 나머지 우당탕한 모습을 더 자주 보이므로. 이렇듯 작가들은 삶을 바라보는 시각도 다 제각각이고, 말하는 속도와 목소리의 높낮이, 긍정과 부정의 농도도 모두 다 다르다. 가히 이분들이 모두 글 쓰는 일을 하는 사람이 맞나 싶을 정도로 그간 마주했던 작가님들은 각자 다른 향기를 머금고 있었다.

그런 이들의 공통점을 굳이 찾아 한 단어로 표현하자면 바로, '미련'이라 하고 싶다. 여기서 미련은 '미련하다'의 미련이 아닌, '깨끗이 잊지 못하고 끌리는 데가 남아있는 마음(미련의 사전적 용어)'을 의미하는 그 미련이다. 그러니까 작가는 타인과 나누는 사소한 대화, 평범하게 마주하는 일상, 미묘하게 변화하는 자연의 움직임 등을 깨끗하게 잊지 못하고 그것에 미련을 남긴다는 것이다. 한마디로 글 쓰는 사람은 모두 미련쟁이라는 것! 생각해보면 세상 만물에 미련을 남겨야 그것이 쓸 수 있는 글감이 되기도 하고, 또 쓰고 싶어지는 영감이 되기도 하지 않을까 싶다.

내 나름 작가의 특징을 정리하고 나니 나와 마주하는 모든 작가님의 글이 사랑스럽게 느껴지기 시작했다. 과연 이 작가님은 어떤 미련을 글자로 남기려는 걸까, 어떤 이야기를 우리에게 건네고 싶어 펜을 들었을까 하는 마음에. 이렇게 생각하며 원고를 읽어 내려가니 옅은 미소가 지어진다. 원고를 쓰는 이 모든 행위가 세상 만물에 미련을 버리지 못한 이의 작은 외침처럼 느껴져서.

이 글을 읽는 여러분도 한 번쯤 나와 같은 관점에서 책을 읽어 보길 바란다. 때론 초롱초롱한 눈으로, 때론 그렁그렁한 눈으로 한 자, 한 자, 세상에 미련을 남겼을 이들을 상상하며 글을 읽어 내려가다 보면 이 세상이 조금은 더 따뜻하게 느껴질 테니.

추신,
나는 이 책에
그래도 이 세상, 아직은 살만하다고.
여전히 따뜻하게 바라볼 것들이 너무나도 많다는
미련을 남기고 싶었다.

지구 안에서 사는 즐거움

초판 1쇄 발행 2022년 5월 8일
개정판 3쇄 발행 2023년 5월 22일

지은이 송세아

펴낸이 이장우
책임편집 송세아
편집 안소라
디자인 theambitious factory
표지 일러스트 세오
제작 김소은
관리 김한다 한주연
인쇄 금비PNP

펴낸곳 도서출판 꿈공장플러스
출판등록 제 406-2017-000160호
주소 서울시 성북구 보국문로 16가길 43-20 꿈공장 1층

이메일 ceo@dreambooks.kr
홈페이지 www.dreambooks.kr
인스타그램 @dreambooks.ceo

전화번호 02-6012-2734
팩스 031-624-4527

꿈공장플러스 출판사는 모든 작가님의 꿈을 응원합니다.
꿈공장플러스 출판사는 꿈을 포기하지 않는 당신 곁에 늘 함께하겠습니다.

ISBN 979-11-92134-42-0
정가 14,500원